Max Lucado

Du verleihst mir Flügel

Über den Autor

Max Lucado ist Pastor der *Oak Hills Church* in San Antonio, Texas. Er ist verheiratet, Vater von drei Töchtern und Verfasser vieler Bücher. Die Zeitschrift *Christianity Today* zählt ihn zu den bekanntesten christlichen Autoren Amerikas.

Zu seinen Bestsellern gehören u. a. „Leben ohne Angst", „Leichter durchs Leben" und „Wie man Riesen besiegt".

MAX LUCADO

Du
verleihst mir
Flügel

Entdecke die lebensverändernde Kraft der Gnade

Aus dem Englischen von Elke Wiemer

Inhalt

Danksagung	9
Eins: Leben mit Gnade	11
Zwei: Der Gott, der sich herabbeugt	21
Drei: Ein glücklicher Tausch	33
Vier: Kommen Sie zur Ruhe	43
Fünf: Nasse Füße	53
Sechs: Gnade vor dem Durchbruch	65
Sieben: Mit Gott ins Reine kommen	77
Acht: Stoßen Sie die Angst von ihrem Thron	89
Neun: Auf Wiedersehen, Geiz	99
Zehn: Auserwählt	109
Elf: Der Himmel ist uns sicher	119
Schlusswort: Wo Gnade einzieht	133
Zur Vertiefung	141
Anmerkungen	185

*Heute, an unserem 30. Hochzeitstag,
widme ich dieses Buch meiner Frau Denalyn.
Du bist Gottes Geschenk der Gnade für mein Leben.
Jeder Raum kommt mir leer vor,
wenn Du nicht darin bist.*

Danksagung

Gnade ist Gottes genialste Idee. Sein Entschluss, sein Volk mit seiner Liebe regelrecht zu überwältigen, es mit Leidenschaft zu retten und durch Gerechtigkeit zu neuen Menschen zu machen – was könnte dem gleichkommen? Von all seinen wunderbaren Taten ist meiner Ansicht nach die Gnade sein *Opus magnum* – sein größtes Werk. Danach kommt die Freundschaft. Freunde werden zu Boten der Gnade, zu Kanälen göttlicher Gnade. Wer weiß, dass er Gnade nötig hat, schätzt es besonders, gute Freunde zu haben. Ich zum Beispiel. Viele meiner Freunde waren sehr gnädig mit mir, während ich dieses Buch schrieb. Ihnen möchte ich danken.

Dank an meine Lektorinnen Liz Heaney und Karen Hill. Ihr habt einmal mehr alle rauen Stellen geglättet und meiner Dickköpfigkeit einen Riegel vorgeschoben. Ihr habt euch dieses Buches angenommen, als sei es euer eigenes. Und auf eine gewisse Weise ist es das auch. Ich schätze und bewundere euch beide sehr.

Danke auch an das Team von *Thomas Nelson*. Ich finde eure Leidenschaft dafür, eine Inspiration in dieser Welt zu sein, wirklich ansteckend. Ich fühle mich geehrt, zu eurem Team zu gehören. Besonders erwähnen möchte ich Mark Schoenwald, David Moberg, Liz Johnson, LeeEric Fesko sowie Greg und Susan Ligon.

1973 habe ich meinen besten Freund Steve Green bei einem Rednerwettbewerb kennengelernt. Es gibt nur ganz wenige Menschen, die mir in meinem Leben mehr Gnade erwiesen haben als Steve und seine Frau Cheryl. Danke euch beiden. Ihr leitet diese Welt der Bücher mit Geschick und Geduld.

Danke an Carol Bartley, die dieses Buch bearbeitet hat. Wenn man dir ein Manuskript bringt, ist das, als würde man ein Hemd in die Reinigung bringen. Man bekommt es sauber, glatt gebügelt und anziehfertig zurück. Dein Geschick erstaunt mich, und deine Güte noch viel mehr.

Danke an Randy und Rozanne Frazee, die gemeinsam mit uns in der *Oak Hills*-Gemeinde dienen. Wo ihr seid, wird die Welt fröhlicher. Es ist eine Ehre, euch zu kennen und mit euch zusammenzuarbeiten.

Mein besonderer Dank gilt der *Oak Hills*-Gemeinde, in der die Gnade blüht und gedeiht. Ich bin dankbar für die Jahre, die wir zusammen erlebt haben, und freue mich auf die, die noch kommen. Ein Dank an unseren Ältesten David Treat für seine Gebete und seine Begleitung. Mein Dank gilt Barbie Bates, die Denalyn und mir erlaubt hat, uns zum Schreiben auf die *Solid Rock*-Ranch zurückzuziehen.

Margaret Mechinus, Tina Chisholm, Jennifer Bowman und Janie Padilla meistern die Korrespondenz, die Fragen und die Detailarbeit. Ohne euch würden wir untergehen!

Apropos untergehen: David Drury und Brad Tuggle haben uns mit ihrem Tiefblick und ihren guten Ratschlägen heil an einigen theologischen Klippen vorbeigebracht. Dafür bin ich sehr dankbar.

Während dieses Buch entstanden ist, starb John Stott. Er war ein sehr wortgewandter Verfechter des Glaubens und hat Gott geliebt. Es ist eine Ehre, ihn als Freund gekannt zu haben.

Danke auch an meine Töchter und meinen Schwiegersohn – Jenna, Brett, Andrea und Sara. Euer Glaube und eure Hingabe sind erstaunlich! Es gibt keine größere Freude für mich, als zu sehen, dass Gott in meinen Kindern lebt. Ich wünsche euch, dass ihr viel lacht, viel lernt und das Leben liebt.

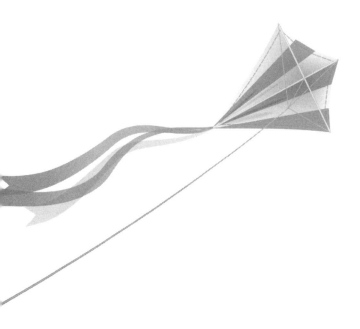

Eins

Leben mit Gnade

Gottes Gnade ist wie ein Wolkenbruch. Wie Wildwasser.
Wie mächtige Brecher. Wie eine starke Strömung.
Sie wirbelt Sie herum. Gottes Gnade ist wie ein Wolkenbruch.

*Achtet darauf, dass keiner von euch an Gottes Gnade
gleichgültig vorübergeht.*
Hebräer 12,15

Christus lebt in mir!
Galater 2,20

*Ich will euch ein anderes Herz und einen neuen Geist geben.
Ich nehme das versteinerte Herz aus eurer Brust und
gebe euch ein lebendiges Herz.*
Hesekiel 36,26

Ein Christ ist ein Mensch, mit dem etwas geschehen ist.
E. L. Mascall

*Wenn jemand an meines Herzens Tür klopft und fragt:
„Wohnt hier Luther?", dann rufe ich:
„Nein, der ist gestorben. Hier wohnt Christus."*
Martin Luther

Vor einigen Jahren hatte ich eine Herzoperation. Mein Herzschlag klang nämlich wie eine Nachricht im Morsecode. Kurz-kurz-kurz-laaaaang. Nach mehreren gescheiterten Versuchen, mithilfe von Medikamenten eine Besserung herbeizuführen, beschloss mein Arzt, ich bräuchte eine Herzkatheterablation. Das sollte folgendermaßen laufen: Ein Kardiologe sollte zwei Schläuche durch die Blutgefäße zu meinem Herzen führen. In einem befand sich eine Kamera, im anderen der Ablationskatheter. Ablation heißt, dass Gewebe verödet, also verbrannt wird. Genau, verbrannt, verschmort, versengt. Wenn alles gut ging, würde der Arzt, um es mit seinen Worten auszudrücken, die Gewebeteile meines Herzens, die für das „Fehlverhalten" verantwortlich waren, zerstören.

Als man mich in den OP schob, fragte er mich, ob ich noch eine letzte Frage hätte. (Keine sehr passende Wortwahl.) Ich versuchte, geistreich zu sein.

„Sie verbrennen also das Innere meines Herzens, richtig?"

„Richtig."

„Damit wollen Sie die Zellen zerstören, die für das Fehlverhalten verantwortlich sind, stimmt's?"

„Das habe ich vor."

„Wenn Sie mit Ihrem Mini-Brenner schon mal da drinnen zugange sind, könnten Sie dann auch noch meinen Geiz, meinen Egoismus, meine Überlegenheits- und Schuldgefühle verbrennen?"

Er meinte lächelnd: „Tut mir leid, aber das übersteigt meine Fähigkeiten."

Allerdings, aber nicht die Fähigkeiten Gottes. Er ist nämlich ein echter Fachmann, wenn es darum geht, Herzen zu verändern.

Es wäre falsch zu glauben, dass sich so eine Veränderung über Nacht vollzieht. Aber es wäre genauso falsch zu glauben, dass die Veränderung nie eintreten wird. Sie vollzieht sich vielleicht etappenweise – ein Aha-Erlebnis hier und ein Durchbruch da. Aber sie wird passieren. „Denn Gottes Barmherzigkeit ist sichtbar geworden, mit der er alle Menschen retten will" (Titus 2,11). Die Schleusen sind geöffnet, das Wasser strömt heraus. Man weiß eben nie, wann die Gnade ins eigene Leben sickert.

Brauchen Sie mehr davon?

- *Sie starren in die Dunkelheit.* Ihr Mann schläft friedlich neben Ihnen. In einer Viertelstunde wird der Wecker klingeln, und der Tag wird Sie mit seinen vielen Anforderungen anspringen wie der Clown, der im Zirkus aus der Kanone geschossen kommt. Und genau so fühlt es sich auch an: Besprechungen, Vorgesetzte, Sportverein – ein echter Zirkus. Zum einmillionsten Mal machen Sie Frühstück, Stundenpläne und Gehaltsabrechnungen ... Aber Sie können ums Verrecken nicht erkennen, was der Sinn dieses Lebens sein soll. Sein Anfang und sein Ende. Krippe und Krebs, Friedhöfe und Fragen. Das Warum hinter all dem lässt Sie nicht schlafen. Er liegt neben Ihnen und schläft, während die Welt auf Sie wartet und Sie in die Dunkelheit starren.
- *Sie blättern in Ihrer Bibel und starren auf die Worte.* Sie könnten genauso gut auf einen Friedhof starren. Alles so leblos und irgendwie steinig. Nichts spricht Sie an. Sie wagen es dennoch nicht, das Buch zuzuschlagen. Aber nicht doch! Sie schleppen sich pflichtbewusst durch Ihre

tägliche Bibellese, genauso wie Sie auch Ihre Gebete, Ihr Schuldbekenntnis und das Geben des Zehnten absolvieren. Sie wagen es nicht, irgendetwas auszulassen, aus Angst, Gott könnte Ihren Namen aus dem großen Buch streichen.
- *Sie lassen Ihre Finger über ihr Foto gleiten.* Als Sie dieses Foto gemacht haben, war sie erst fünf. Sommersprossen im Gesicht, das Haar zum Pferdeschwanz gebunden und Schwimmflossen an den Füßen. Das war vor zwanzig Jahren. Oder vor drei Ehen. Vor einer Million Flugmeilen und E-Mails. Heute führt ein anderer Vater sie zum Traualtar. Sie haben Ihre Familie zugunsten Ihrer steilen Karriere vor sich hindümpeln lassen. Und jetzt, wo Sie haben, was Sie wollten, wollen Sie es nicht mehr. Ach, wenn es doch nur eine zweite Chance gäbe.
- *Du hörst dem Pastor zu.* Er ist rundlich, hat ein Doppelkinn und einen dicken Hals, der sich über seinem steifen Hemdkragen in Falten legt. Dein Vater zwingt dich, in die Kirche zu gehen, aber er kann dich nicht zwingen, auch zuzuhören. Zumindest hast du dir das immer eingeredet. Aber an diesem Morgen hörst du doch zu, weil der Pastor von einem Gott spricht, der in die Irre gegangene Menschen liebt, und du hast das Gefühl, dass du die Schlimmste von allen bist. Du kannst deine Schwangerschaft nicht länger verheimlichen. Bald werden es deine Eltern wissen. Der Pastor wird es wissen. Er sagt, Gott weiß es schon. Du fragst dich, was Gott wohl denkt.

Der Sinn des Lebens. Die vergeudeten Jahre unseres Lebens. Die falschen Entscheidungen. Gottes Antwort auf das Chaos unseres Lebens besteht aus einem einzigen Wort: Gnade.

Wir reden, als wüssten wir, was das ist. Die Bank gibt uns eine Gnadenfrist. Ein zwielichtiger Politiker ist in Ungnade gefallen. Ein altes Pferd bekommt das Gnadenbrot. Wir sagen, sie sei eine begnadete Tänzerin. Wir sprechen einen Abt mit „Euer Gnaden" an. Wir tun, als wüssten wir, was das Wort „Gnade" bedeutet.

Ganz besonders in der Gemeinde. Wir singen von Gnade, wir lesen in der Bibel von Gnade. Die Gnade wohnt mit ihren Verwandten Vergebung, Glaube und Gemeinschaft quasi im Gemeindehaus. Die Prediger erklären sie, Lieder verklären sie, und Bibelschulen lehren sie.

Aber verstehen wir wirklich, was Gnade ist?

Ich habe da so eine Ahnung: Wir geben uns mit einer kümmerlichen Gnade zufrieden. Sie wird freundlicherweise in unseren Liedern erwähnt und macht sich gut in einem Spruch an der Wand unserer Gemeinde. Sie macht keine Probleme und verlangt keine Antwort. Wer könnte schon Nein sagen, wenn man ihn fragt: „Glaubst du an Gottes Gnade?"

In diesem Buch will ich eine tiefergehende Frage stellen: Hat die Gnade Sie verändert? Sie geformt? Sie gestärkt? Sie ermutigt? Sie sanft gemacht? Sie am Schlafittchen gepackt und kräftig durchgeschüttelt? Gottes Gnade will uns ganz durchdringen. Sie ist unbändig. Sie ist wie Wildwasser. Wie mächtige Brecher. Sie wirbelt uns herum. Sie verfolgt uns. Sie polt uns um. Von unsicher zu sicher, weil man zu ihm gehört. Von voller Bedauern zu besser durch Gnade. Von ängstlich zu bereit zu fliegen. Die Gnade fordert uns dazu heraus, uns zu ändern, und schenkt uns dann die Kraft, es auch zu tun.

Gnade ist nicht nur eine kleine Aufmerksamkeit von Gott, sondern das Geschenk eines neuen Herzens. Wenn Sie Gott Ihr Herz schenken, dann wird er sich revanchieren. „Ich will euch ein anderes Herz und einen neuen Geist geben" (Hesekiel 36,26).[1] Man könnte es auch eine geistliche Herztransplantation nennen.

Tara Storch hat dieses Wunder vermutlich besser begriffen als jeder andere. Im Frühjahr 2010 kam ihre dreizehnjährige Tochter Taylor bei einem Skiunfall ums Leben. Was dann kam, war für Tara und ihren Mann Todd der schlimmste Albtraum aller Eltern: die Beerdigung, eine Flut von Fragen und Tränen. Sie hatten aber beschlossen, die Organe ihrer Tochter Menschen zu spenden, die dringend auf eine Transplantation warteten. Und es gab kaum jemanden, der so dringend ein neues Herz brauchte wie Patricia Winters. Ihr Herz hatte vor fünf Jahren angefangen, langsam zu versagen, sodass sie kaum noch mehr tun konnte als schlafen. Taylors Herz hatte Patricia zu neuem Leben verholfen.

Tara hatte nur eine Bitte: Sie wollte das Herz ihrer Tochter schlagen hören. Also flog sie mit Todd von Dallas nach Phoenix und besuchte Patricia, um das Schlagen von Taylors Herz zu hören.

Die beiden Mütter lagen sich lange Zeit in den Armen. Dann hielt Patricia Tara und Todd ein Stethoskop hin.[2] Als sie dem kräftigen, gleichmäßigen Schlagen lauschten, wessen Herz hörten sie da? Hörten sie nicht das Herz ihrer Tochter, das immer noch schlug? Es schlägt in einem anderen Körper, aber es ist das Herz ihres Kindes. Und wenn Gott Ihr Herz schlagen hört, hört er dann nicht das Herz seines Sohnes?

Paulus schrieb: „Darum lebe nicht mehr ich, sondern Christus lebt in mir!" (Galater 2,20). Der Apostel spürte in sich nicht nur eine Überzeugung, ein Ideal oder den Einfluss Christi, sondern wirklich die Person Jesu selbst. Jesus war eingezogen. Das tut er immer noch. Wenn die Gnade zu uns kommt, zieht Christus in uns ein. „Christus in euch, die Hoffnung der Herrlichkeit" (Kolosser 1,27; ELB).

Jahrelang habe ich diese Wahrheit nicht begriffen. Ich glaubte all die anderen Präpositionen: Christus *für* mich, *bei* mir, *vor* mir. Und ich wusste, dass ich *neben* Christus arbeitete, *unter* ihm diente und *mit* ihm. Aber ich hatte nie geglaubt, dass Christus *in* mir ist.

Ich kann meine Unwissenheit nicht auf die Bibel schieben. Paulus beschreibt diese Art der Verbindung 216-mal, Johannes erwähnt sie 26-mal.³ Sie beschreiben einen Christus, der uns nicht nur umwirbt und zu sich zieht, sondern uns sogar mit sich vereint. „Wer bekennt, dass Jesus der Sohn Gottes ist, der bleibt in Gott und *Gott in ihm*" (1. Johannes 4,15; Hervorhebung des Autors).

Keine andere Religion oder Philosophie erhebt diesen Anspruch. Keine andere Bewegung auf der Welt behauptet, ihr Begründer lebe in seinen Nachfolgern. Mohammed lebt nicht in den Moslems. Buddha nicht in den Buddhisten. Und Hugh Hefner, der Gründer des *Playboy*, lebt nicht in den genusssüchtigen Hedonisten dieser Welt. Ihr Einfluss? Ihre Lehre? Ihre Verlockung? Ja. Aber ihre persönliche Gegenwart? Nein.

Und doch halten Christen an dieser unergründlichen Verheißung fest. „Und das ist das Geheimnis: Christus lebt in euch!" (Kolosser 1,27; NL). Ein Christ ist ein Mensch, in dem sich Christus „ereignet".

Wir gehören Jesus Christus; wir gehören zu ihm. Ja, sogar noch mehr: Wir werden immer mehr er. Er zieht in uns ein und lenkt unsere Hände und Füße, erfasst unseren Verstand und unseren Mund. Wir spüren, wie er uns erneuert: aus Schutt wird ein himmlischer Palast, aus Dreck Gold. Falsche Entschlüsse und schlechte Entscheidungen führt er zu einem guten Ende. Stück für Stück entsteht ein völlig neues Bild. „Darum hat er auch von Anfang an vorgesehen, dass ihr ganzes Wesen so umgestaltet wird, dass sie seinem Sohn gleich sind" (Römer 8,28; NGÜ).

Die Gnade ist Gottes genialste Idee. Anstatt uns zu sagen, wir sollen uns ändern, sorgt er selbst für die Veränderung. Müssen wir Klarschiff machen, damit er uns annimmt? Nein, er nimmt uns an und macht dann Klarschiff bei uns. Gnade bedeutet, dass Gott unser Herzchirurg ist. Er öffnet unseren Brustkorb, nimmt unser von Stolz und Schmerz vergiftetes Herz heraus und pflanzt uns dafür sein eigenes ein. Er möchte nicht nur, dass Sie in den Himmel kommen, sondern dass der Himmel in Ihnen ist. Nicht irgendwann einmal, sondern jetzt! Was für ein Unterschied! Sie können Ihren Feinden nicht vergeben? Sie haben Angst vor morgen? Sie können Ihre Vergangenheit nicht loslassen? Christus kann es, und er ist dabei, Sie ganz entschieden von einem Gnaden-losen Leben in ein von Gnade bestimmtes Leben zu führen. Sie in einen beschenkten Schenkenden zu verwandeln. In einen vergebenen Vergeber. Voller Seufzer der Erleichterung. Voller Stolperer, aber ohne Verzweiflung.

Die Gnade ist ganz Jesus. Gnade lebt, weil er lebt. Sie wirkt, weil er wirkt, und sie ist bedeutungsvoll, weil er von Bedeutung ist. Er hat der Sünde ein Verfallsdatum verpasst und einen Siegestanz auf dem Friedhof aufgeführt. Durch Gnade errettet zu sein heißt, durch ihn errettet zu sein – nicht durch einen Gedanken, eine Lehre, ein Glaubensbekenntnis oder eine Gemeindemitgliedschaft, sondern durch Jesus selbst, der jeden in den Himmel entführen wird, der dazu auch nur nickt.

Nicht als Antwort auf ein Fingerschnippen, religiösen Singsang oder ein geheimes Handzeichen. Gnade wird nicht inszeniert. Ich kann Ihnen keinen Tipp geben, wie Sie in den Genuss der Gnade kommen. Denn wir bekommen die Gnade nicht, sie bekommt uns. Die Gnade hat den verlorenen Sohn so lange umarmt, bis der Schweinemist weg war. Sie hat Paulus den Hass ausgetrieben und verspricht, das Gleiche auch bei uns zu tun.

Wenn Sie befürchten, Sie könnten Gottes Güte überstrapaziert haben, wenn Sie Dinge mit sich herumschleppen, die Sie bereuen, wenn Sie mehr stöhnen und jammern als sich freuen und zur Ruhe kommen, und vor allem, wenn Sie sich fragen, ob Gott mit dem Chaos Ihres Lebens noch etwas anfangen kann, dann brauchen Sie Gnade.

Sorgen wir dafür, dass Sie Ihnen widerfährt.

Zwei

Der Gott, der sich herabbeugt

Ein reines Gewissen. Eine saubere Akte. Ein reines Herz. Frei von Vorwürfen. Frei von Anschuldigung. Nicht nur, was die früheren Fehler angeht, sondern auch, was die zukünftigen betrifft.

*So können wir mit einem guten Gewissen vor Gott treten.
Doch auch wenn unser Gewissen uns schuldig spricht, dürfen
wir darauf vertrauen, dass Gott größer ist als unser Gewissen.
Er kennt uns ganz genau.*
1. Johannes 3,19–20

*Darum wollen wir uns Gott nähern mit aufrichtigem Herzen
und im festen Glauben; denn das Blut Jesu Christi hat uns
von unserem schlechten Gewissen befreit.*
Hebräer 10,22

Welch großer Gott ist das, der uns Gott schenkt!
Augustinus

*Gnade ist Gott, der liebt, der sich selbst erniedrigt,
der zu unserer Rettung kommt, der sich selbst in und durch
Jesus Christus freizügig schenkt.*
John Stott

Stimmen rissen sie aus dem Schlaf.

„Steh auf, du Hure!"

„Was glaubst du eigentlich, wer du bist?"

Die Priester stürmten zur Tür herein, rissen die Vorhänge auf und zogen ihr die Bettdecke weg. Bevor sie die Wärme der Morgensonne spüren konnte, spürte sie schon die Glut ihrer Verachtung.

„Schäm dich."

„Erbärmlich."

„Widerlich."

Sie hatte kaum Zeit, sich etwas überzuziehen, als sie sie auch schon durch die engen Gassen trieben. Hunde kläfften. Hühner rannten gackernd davon. Frauen lehnten sich aus den Fenstern. Mütter holten ihre Kinder von der Straße. Händler standen in den Eingängen ihrer Läden. Jerusalem hielt Gericht und verkündete mit bösen Blicken und verschränkten Armen sein Urteil.

Und als seien das Eindringen in ihre Schlafkammer und der erniedrigende Zug durch die Straßen noch nicht genug, stießen die Männer sie mitten in eine Gruppe hinein, die gerade bei ihrem morgendlichen Bibelstudium saß.

Aber schon früh am nächsten Morgen war er wieder im Tempel. Viele Menschen drängten sich um ihn. Er setzte sich und lehrte sie. Da schleppten die Schriftgelehrten und Pharisäer eine Frau heran, die beim Ehebruch überrascht worden war, stießen sie in die Mitte und sagten zu Jesus: „Lehrer, diese Frau wurde auf

frischer Tat beim Ehebruch ertappt. Im Gesetz hat Mose uns befohlen, eine solche Frau zu steinigen. Was meinst du dazu?"
Johannes 8,2–5

Verblüffte Bibelschüler auf der einen, fromme Ankläger auf der anderen Seite. Sie standen da mit ihren Fragen und Überzeugungen; sie nur mit ihrem flatternden Nachthemd und verschmiertem Lippenstift. „Diese Frau wurde auf frischer Tat beim Ehebruch ertappt", trumpften ihre Ankläger auf. Auf frischer Tat ertappt. Genau in dem Augenblick. In seinen Armen. Voller Leidenschaft. Auf frischer Tat beim Ehebruch ertappt vom Jerusalemer Rat für Anstand und Benimm. „Das Gesetz des Mose befiehlt, sie zu steinigen. Was meinst du dazu?"

Für die Frau gab es keinen Ausweg mehr. Die Anschuldigungen leugnen? Sie hatten sie doch dabei erwischt. Um Gnade flehen? Gnade von wem? Von Gott? Gottes Stellvertreter hatten schon die Steine in der Hand und fletschten die Zähne. Von ihnen würde sich keiner für sie einsetzen.

Aber da beugte sich jemand zu ihr.

„Jesus bückte sich nur und schrieb mit dem Finger auf die Erde" (Vers 6). Man hätte eigentlich erwartet, dass er aufstand, hervortrat oder sogar eine Stufe herunterkam, um etwas zu sagen. Aber er beugte sich herab. Er kam tiefer herab als alle anderen – tiefer als die Priester, die Leute, sogar als die Frau selbst. Ihre Ankläger sahen auf sie herab. Um Jesus zu sehen, mussten sie noch weiter herabschauen.

Er beugte sich oft herab. Er beugte sich herab, um seinen Jüngern die Füße zu waschen, um Kinder in den Arm zu nehmen. Er beugte sich herab, um Petrus aus dem Wasser zu ziehen, als dieser unterging, und um im Garten Gethsemane zu beten. Er beugte sich, um ausgepeitscht zu werden. Er beugte sich, als er das Kreuz trug. Gnade ist ein Gott, der sich herabbeugt. Und hier beugte er sich herab, um auf die Erde zu schreiben.

Erinnern Sie sich an das erste Mal, als er sich die Finger schmutzig machte? Er nahm Erde und formte daraus Adam. Als er die ausgetrocknete Erde neben der Frau berührte, dachte Jesus vielleicht an die Schöpfung und erinnerte sich daran, woher wir kommen. Menschen neigen dazu, schmutzige Dinge zu tun. Vielleicht schrieb Jesus auch für sich selbst auf die Erde.

Oder für sie? Um die gierigen Blicke von der spärlich bekleideten, frisch ertappten Frau abzulenken, die in ihrer Mitte stand.

Der Trupp verlor die Geduld mit dem schweigenden, herabgebeugten Jesus. „Als sie nicht locker ließen, richtete er sich auf" (Vers 7).

Er richtete sich auf, bis seine Schultern straff und sein Kopf hoch erhoben waren. Er stand nicht da, um zu predigen, denn es gab nicht viel zu sagen, und er würde nicht lange so stehen bleiben, sondern sich gleich wieder bücken. Er stand nicht da, um seine Nachfolger zu lehren; an sie wandte er sich gar nicht. Er stand auf für die Frau. Er stellte sich zwischen sie und die meuchelnde Meute und sagte: „,Wer von euch noch nie gesündigt hat, soll den ersten Stein auf sie werfen!' Dann bückte er sich wieder und schrieb weiter auf die Erde" (Verse 7–8).

Die Beschimpfungen verstummten. Die Steine fielen zu Boden. Jesus schrieb weiter. „Als die Menschen das hörten, gingen sie einer nach dem anderen davon – die älteren zuerst. Schließlich war Jesus mit der Frau allein" (Vers 9).

Aber Jesus war noch nicht fertig. Er richtete sich noch ein letztes Mal auf und fragte die Frau: „Wo sind jetzt deine Ankläger?" (Vers 10).

Mannomann! Was für eine Frage – nicht nur an sie, sondern auch an uns. Auch wir werden von anklagenden Stimmen geweckt.

„Du bist nicht gut genug."

„Du wirst nie besser werden."

„Du hast schon wieder versagt."
Die Stimmen unserer Welt.

Und die Stimmen in unserem Kopf! Wer ist dieser Wächter des Anstandes, der bei jedem Ausrutscher einen Strafzettel schreibt? Der uns an jeden Fehler erinnert? Hält er denn nie den Mund?

Nein, denn Satan hält nie den Mund. Der Apostel Johannes hat ihn einen Ankläger genannt: „Der große Drache ist niemand anders als der Teufel oder Satan, der als listige Schlange schon immer die ganze Welt zum Bösen verführt hat. Er wurde mit allen seinen Engeln aus dem Himmel auf die Erde hinuntergestürzt. Jetzt hörte ich eine gewaltige Stimme im Himmel rufen: ‚… Denn der Ankläger ist endgültig gestürzt, der unsere Brüder und Schwestern Tag und Nacht vor Gott beschuldigte'" (Offenbarung 12,9–10).

Tag für Tag, Stunde um Stunde. Unnachgiebig, unermüdlich. Der Ankläger klagt von Berufs wegen an. Im Gegensatz zum Heiligen Geist, der uns überführt, führen die Anklagen Satans nicht zur Erkenntnis unserer Schuld und zur Umkehr, sondern nur zum Bedauern. Er hat nur ein Ziel: „… zu stehlen, zu schlachten und zu vernichten" (Johannes 10,10). Er will Ihnen den Frieden rauben, Ihre Träume zunichtemachen und Ihre Zukunft zerstören. Dazu hat er eine ganze Horde redegewandter Dämonen, die ihm dabei helfen. Er benutzt Menschen, die mit seinen giftigen Worten hausieren gehen. Freunde, die Ihre Vergangenheit ausgraben. Prediger, die nur von Gericht und nie von Gnade predigen. Und Eltern, oh ja, Ihre Eltern. Sie sind sehr gefühlvoll, vor allem, wenn es um Schuldgefühle geht. Die vermitteln sie rund um die Uhr. Auch wenn wir schon lange erwachsen sind, hören wir noch ihre Stimmen: „Wann wirst du endlich erwachsen?" oder: „Wann werde ich endlich einmal stolz auf dich sein?"

Schuldgefühle – Satans wichtigstes Erzeugnis. Er wird die Szene mit der Ehebrecherin so oft wiederholen, wie Sie es zulassen, wird Sie durch die Stadt schleifen und Ihren Namen in den Schmutz ziehen. Er stößt Sie mitten in die Menge und verkündet dann lauthals Ihre Sünden: „Diese Person wurde auf frischer Tat bei etwas Unmoralischem ... Dummem ... Unehrlichem ... Unverantwortlichem ertappt."

Aber er wird nicht das letzte Wort haben. Jesus hat sich für Sie eingesetzt.

Er hat sich herabgebeugt. So tief, dass er in einer Krippe schlief, in einer Zimmermannswerkstatt arbeitete und in einem Fischerboot ruhte. So tief, dass er mit Kriminellen und Aussätzigen in Berührung kam. So tief, dass er angespuckt, geohrfeigt, mit Nägeln und einem Speer durchbohrt wurde. So tief. Bis ins Grab.

Und dann stand er auf. Er stand vom Tod auf. Er stand aufrecht in Josefs Grabeshöhle und vor Satan. Aufrecht und aufgerichtet. Er richtete sich auf, trat für die Frau ein und brachte ihre Ankläger zum Schweigen, und das Gleiche tut er auch für Sie. Er tritt für Sie ein.

„Er ist vom Tod auferweckt worden und hat seinen Platz an Gottes rechter Seite eingenommen. Dort tritt er jetzt vor Gott für uns ein" (Römer 8,34). Lassen Sie das einen Moment auf sich wirken. In der Gegenwart Gottes, Satan zum Trotz, erhebt sich Jesus Christus zu Ihrer Verteidigung. Er übernimmt die Aufgabe des Priesters. „Er ist unser Hoherpriester und herrscht nun über das Haus Gottes, seine Gemeinde. Darum wollen wir uns Gott nähern mit aufrichtigem Herzen und im festen Glauben; denn das Blut Jesu Christi hat uns von unserem schlechten Gewissen befreit" (Hebräer 10,21–22).

Ein reines Gewissen. Eine saubere Akte. Ein reines Herz. Frei von Anschuldigungen. Frei von jeder Verurteilung. Nicht nur, was die Fehler der Vergangenheit angeht, sondern auch die zukünftigen.

„Und weil Jesus Christus ewig lebt und für uns bei Gott eintritt, wird er auch alle endgültig retten, die durch ihn zu Gott kommen" (Hebräer 7,25). Christus bietet Ihnen an, ewig für Sie einzutreten.

Jesus übertrumpft die Anklagen des Teufels mit seiner Gnade.

Wegen unserer Sünden waren wir in Gottes Augen tot. Doch er hat uns so sehr geliebt, dass er uns mit Christus neues Leben schenkte. Denkt immer daran: Alles verdankt ihr allein der Gnade Gottes. Durch den Glauben an Christus sind wir mit ihm auferstanden und haben einen Platz in Gottes neuer Welt. So will Gott in seiner Liebe zu uns, die in Jesus Christus sichtbar wurde, für alle Zeiten die Größe seiner Gnade zeigen. Denn nur durch seine unverdiente Güte seid ihr vom Tod errettet worden. Ihr habt sie erfahren, weil ihr an Jesus Christus glaubt. Dies alles ist ein Geschenk Gottes und nicht euer eigenes Werk. Durch eigene Leistungen kann man bei Gott nichts erreichen. Deshalb kann sich niemand etwas auf seine guten Taten einbilden. Gott hat etwas aus uns gemacht: Wir sind sein Werk, durch Jesus Christus neu geschaffen, um Gutes zu tun. Damit erfüllen wir nur, was Gott schon im Voraus für uns vorbereitet hat.
Epheser 2,5–10

Das ist die Frucht der Gnade: von Gott errettet, durch Gott auferstanden, an Gottes Seite. Begabt, zugerüstet, ausgesandt. Auf Nimmerwiedersehen, ihr Schuldgefühle: *Dumm. Unproduktiv. Begriffsstutzig. Schwätzer. Versager. Geizhals.* Nie wieder. Sie sind das, was er über Sie sagt: *Lebendig im Geist, mit einem Platz im Himmel, verbunden mit Gott. Ein Reklameschild der Gnade. Ein geliebtes Kind.* Das ist die „unendlich viel mächtigere Gnade" (Römer 5,20; NGÜ).

Satan ist sprachlos. Ihm geht die Munition aus.

„Wer könnte es wagen, die von Gott Auserwählten anzuklagen? Niemand, denn Gott selbst hat sie von aller Schuld freigesprochen. Wer wollte es wagen, sie zu verurteilen? Keiner, denn Christus ist für sie gestorben, ja noch mehr:

Er ist vom Tod auferweckt worden und hat seinen Platz an Gottes rechter Seite eingenommen. Dort tritt er jetzt vor Gott für uns ein" (Römer 8,33–34). Satans Anschuldigungen zerplatzen wie Seifenblasen.

Doch warum hören wir sie immer noch? Warum fühlen sich Christen immer noch schuldig?

Nicht jedes Schuldbewusstsein ist schlecht. Gott gebraucht Schuldbewusstsein in angemessenen Dosen, um uns auf Fehlverhalten aufmerksam zu machen. Schuldbewusstsein kommt dann wahrscheinlich von Gott, wenn es zu „Traurigkeit ... Ernst ... Bemühen ... Empörung ... Sehnsucht ... Entschlossenheit" (2. Korinther 7,11; NL) führt. Wenn Gott zulässt, dass wir uns schuldig fühlen, dann führt uns das zur Reue, sodass wir uns ändern.

Satans Schuldgefühle führen zwar zu Bedauern, versklaven uns aber. Lassen Sie sich von ihm keine Fesseln anlegen.

Denken Sie daran: „... euer wahres Leben ist mit Christus in Gott verborgen" (Kolosser 3,3; NL). Wenn er Sie anschaut, sieht er zuerst Jesus. Das chinesische Schriftzeichen für „Gerechtigkeit" besteht aus zwei Zeichen – dem Zeichen für „Lamm" und dem Zeichen für „Mensch". Das Zeichen für „Lamm" steht über dem Zeichen für „Mensch". Jedes Mal, wenn Gott auf Sie herabschaut, sieht er genau das: das vollkommene Lamm Gottes, das Ihre Schuld auf sich genommen – bedeckt – hat. Letztlich läuft alles darauf hinaus, wem Sie mehr vertrauen: Ihrem Ankläger oder Ihrem Verteidiger?

Die Antwort auf diese Frage hat weitreichende Folgen. Sie hatte Folgen für Jean Valjean. Er ist eine der Hauptfiguren in Victor Hugos Roman „Die Elenden". Valjean wird uns zunächst als Landstreicher vorgestellt. Er ist ein Mann mittleren Alters, der gerade aus dem Gefängnis entlassen wurde, abgetragene Hosen und eine zerlumpte Jacke trägt. Nach neunzehn Jahren in einem französischen Gefängnis ist er innerlich verhärtet und furchtlos. Er ist vier Tage lang durch den kühlen westlichen Teil der Alpen im Südosten Frankreichs gelaufen, wurde in keiner Herberge aufgenommen und bekam in keiner Gaststätte eine Mahlzeit. Schließlich klopft er bei einem Bischof an.

Ehrwürden Myriel ist fünfundsiebzig Jahre alt. Genau wie Valjean hat auch er viel verloren. Durch die Revolution hat seine Familie alles verloren, bis auf ein wenig Tafelsilber, eine silberne Suppenkelle und zwei Kerzenständer. Valjean erzählt ihm seine Geschichte und rechnet damit, dass ihn der Geistliche wegschicken wird. Aber der Bischof ist freundlich. Er bittet den Gast, am Feuer Platz zu nehmen. „Sie brauchten mir das nicht zu sagen", erklärt er. „Dies ist nicht mein Haus, sondern das Haus Christi."[1] Nach einer Weile führt der Bischof den ehemaligen Häftling an den Tisch, und sie essen zusammen Suppe, Brot, Feigen und Käse und trinken Wein.

Dann führt der Bischof Valjean in ein Schlafgemach. Obwohl er es bequem hat, kann der entlassene Gefangene nicht schlafen. Trotz der Freundlichkeit des Bischofs kann er der Versuchung nicht widerstehen. Er stopft das Tafelsilber in seinen Rucksack. Der Priester schläft, während er beraubt wird, und Valjean flüchtet in die Nacht hinaus.

Aber er kommt nicht weit. Die Polizei greift ihn auf und bringt ihn zurück zum Haus des Bischofs. Valjean weiß, was seine Festnahme für ihn bedeutet: Er wird für den Rest seines Lebens im Gefängnis landen. Aber dann passiert etwas Wunderbares. Bevor der Polizist erklären kann, was geschehen ist, kommt der Bischof schon auf ihn zu: „Ach, da sind Sie ja, das ist mir lieb, Sie zu sehen. Ich hatte Ihnen doch auch die Leuchter gegeben, die silbernen, wissen Sie ... warum haben Sie die Bestecke genommen und die Leuchter hiergelassen?"

Valjean ist sprachlos. Der Bischof schickt die Polizisten weg, wendet sich ihm dann zu und sagt: „Jean Valjean, mein Bruder, Sie gehören nicht mehr dem Bösen, sondern dem Guten. Ich kaufe Ihre Seele. Ich entziehe Sie den schwarzen Gedanken und dem Geist der Verderbnis und überantworte Sie Gott."[2]

Valjean hat jetzt die Wahl: Er kann dem Bischof glauben oder seiner Vergangenheit. Er entscheidet sich für den Bischof. Schließlich wird er Bürgermeister einer Kleinstadt. Er baut eine Fabrik und gibt den Armen Arbeit. Er hat Mitleid mit einer sterbenden Mutter und zieht ihre Tochter groß.

Die Gnade hat ihn verändert. Lassen auch Sie sich von ihr verändern. Hören Sie nicht auf Satans Stimme, denn wir haben „einen Anwalt, der beim Vater für uns eintritt: Jesus Christus, den Gerechten" (1. Johannes 2,1; NGÜ). Als Ihr Anwalt verteidigt er Sie und sagt: „Wer nun mit Jesus Christus verbunden ist, wird von Gott nicht mehr verurteilt" (Römer 8,1). Na, was sagst du jetzt, Satan?

Hat Jesus das nicht auch zu der Sünderin gesagt?

„Wo sind jetzt deine Ankläger? Hat dich denn keiner verurteilt?" – „Nein, Herr", antwortete sie. „Dann verurteile ich dich auch nicht", entgegnete ihr Jesus. „Geh, aber sündige nun nicht mehr!"
Johannes 8,10–11

Innerhalb weniger Augenblicke war der Platz verlassen. Jesus, die Frau, ihre Ankläger – alle waren gegangen. Aber bleiben wir noch einen Moment hier. Schauen Sie auf die fallen gelassenen, unbenutzten Steine am Boden. Und schauen Sie auf die Buchstaben im Staub. Es ist die einzige Predigt, die Jesus je geschrieben hat. Wir wissen nicht, was er geschrieben hat, aber ich frage mich, ob dort vielleicht stand:

Gnade geschieht jetzt und hier.

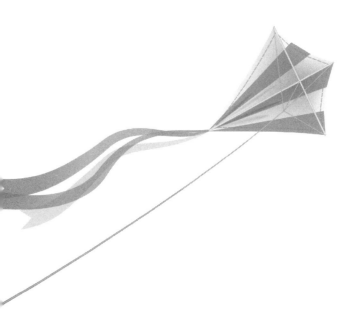

Drei
Ein glücklicher Tausch

So wunderbar es auch ist zu verkünden: „Christus starb für diese Welt", so ist es doch noch wunderbarer zu flüstern: „Christus starb für mich."

Der Herr ist unsere Gerechtigkeit.
Jeremia 23,6; EÜ

Der Herr aber lud alle unsere Schuld auf ihn.
Jesaja 53,6

Jesus Christus ist das, was Gott getan hat,
und das Kreuz ist der Ort, wo er es getan hat.
Frederick Buechner

Der christliche Glaube besteht nicht darin, dass wir ein Opfer
bringen, sondern dass wir auf ein Opfer vertrauen.
P. T. Forsyth

In der Gefängniszelle von Barabbas gab es nur ein einziges kleines Fenster, das etwa die Größe eines Kopfes hatte. Barabbas sah nur einmal hinaus, ein einziges Mal. Als er den Ort sah, an dem die Hinrichtung stattfinden sollte, ließ er sich zu Boden gleiten, lehnte sich an die Wand und zog die Knie an die Brust. Das war vor einer Stunde gewesen. Seither hatte er sich nicht bewegt.

Er hatte kein Wort gesagt.

Das war ungewöhnlich für ihn. Barabbas war ein Mann vieler Worte. Als die Wachen bei Sonnenaufgang gekommen waren, um ihn zu verlegen, hatte er geprahlt, er werde noch vor Mittag wieder frei sein. Auf dem Weg zu seiner Zelle hatte er die Soldaten verflucht und sich über ihren Kaiser lustig gemacht.

Aber seit er hierhergekommen war, hatte er keinen Ton mehr von sich gegeben. Zum einen gab es niemanden, mit dem er reden konnte. Zum anderen gab es nichts zu sagen. Denn trotz seiner Angeberei und Großtuerei wusste er, dass er bis zum Mittag gekreuzigt und bei Sonnenuntergang tot sein würde. Was gab es da noch zu sagen? Das Kreuz, die Nägel, der qualvolle Tod – er wusste, was ihn erwartete.

Wenige Hundert Meter von seiner Zelle entfernt hatte sich gerade in der Feste Antonia eine nicht gerade kleine, murrende Menschenmenge versammelt. Es waren hauptsächlich religiöse Führer. Ein Trupp mit langen Bärten, Mänteln und ernsten Mienen. Sie waren müde und wütend. Über ihnen auf den Stufen standen ein adliger Römer und ein verwahrloster Galiläer. Ersterer deutete auf Letzteren und wandte sich dann an die Menge:

"Ihr habt diesen Mann zu mir gebracht und ihn beschuldigt, dass er die Menschen aufhetzt. Ich habe ihn vor euch verhört und bin zu dem Urteil gekommen: Dieser Mann ist unschuldig! Herodes ist derselben Meinung. Deswegen hat er ihn hierher zurückgeschickt. Der Angeklagte hat nichts getan, was mit dem Tod bestraft werden müsste. Ich werde ihn auspeitschen lassen, dann soll er frei sein." Pilatus begnadigte ohnehin in jedem Jahr am Passahfest einen Gefangenen.
Da brach ein Sturm der Entrüstung los. Wie aus einem Munde schrie das Volk: "Weg mit diesem Jesus! Lass Barabbas frei!" Barabbas saß im Gefängnis, weil er sich an einem Aufstand in Jerusalem beteiligt hatte und wegen Mordes angeklagt war.
Lukas 23,14–19

Der letzte Satz verrät etwas über Barabbas: Er war ein Aufrührer und Mörder. Er hatte Wut im Herzen und Blut an den Händen. Er war aufsässig, gewalttätig, ein Unruhestifter, nahm anderen das Leben. Er war schuldig und auch noch stolz darauf. Hätte Pilatus, der römische Statthalter, einem solchen Mann Gnade erweisen dürfen? Die Menschenmenge sagt Ja. Sie wollen sogar, dass Pilatus Jesus stattdessen hinrichten lässt, von dem Pilatus sagt, er "hat nichts getan, was mit dem Tod bestraft werden müsste".

Pilatus verbindet nichts mit Jesus. Der Galiläer bedeutet ihm nichts. Wenn Jesus schuldig ist, soll er seine Strafe bekommen. Der Statthalter ist bereit, einen Schuldigen zu kreuzigen. Aber einen Unschuldigen?

Jesus hat vielleicht eine Standpauke verdient, womöglich sogar ein paar Peitschenhiebe, aber nicht die Kreuzigung. Pilatus nimmt viermal Anlauf, um Jesus freizulassen. Zuerst fordert er die Juden auf, die Sache selbst zu regeln (Johannes 18,28–31). Dann delegiert er die Angelegenheit an Herodes (Lukas 23,6–7). Er lässt am Passahfest offenbar immer einen Gefangenen frei, und in diesem Jahr versucht er, die Juden dazu zu bringen, Jesus als diesen Gefangenen zu akzeptieren (Markus 15,6–10). Dann bietet er ihnen einen Kompromiss an: auspeitschen statt hinrichten (Lukas 23,22). Er unternimmt alles, um Jesus freizulassen. Warum? „Ich kann keine Schuld an ihm finden" (Johannes 18,38; NGÜ).

Mit diesen Worten wird der Statthalter unwissentlich zum Theologen. Er hat zuerst gesagt, was Paulus viel später wieder aufgreift: Jesus war „ohne jede Sünde" (2. Korinther 5,21). Diese Mammut-Wahrheit rangiert auf dem gleichen Niveau wie sein Spaziergang auf dem Wasser, das Auferwecken von den Toten und das Heilen von Aussätzigen: Jesus hat Gottes Gebote nie übertreten. Nicht, dass Jesus das nicht hätte tun können, dass er keine Gelegenheit gehabt hätte, er hat es einfach nie getan. Er hätte in der Wüste mit dem Teufel Brot brechen oder im Garten Gethsemane aus dem Plan seines Vaters aussteigen können. „Jesus Christus musste mit denselben Versuchungen kämpfen wie wir, doch im Gegensatz zu uns hat er nie gesündigt" (Hebräer 4,15).

Durch Jesus zeigte Gott den Menschen, wie sie eigentlich leben sollten: zutiefst ehrlich inmitten von lauter Heuchelei. Immer freundlich in einer grausamen Welt. Ganz auf Gottes Reich ausgerichtet, obwohl es sicher Ablenkungen genug gab. Und was Sünde angeht, so hat er sie nie begangen.

Wir dagegen haben nie aufgehört, Gottes Gebote zu übertreten. Wir sind „tot aufgrund der Verfehlungen und Sünden" (Epheser 2,1; NGÜ). Wir sind „Verlorene" (Lukas 19,10), die „zugrunde gehen" (Johannes 3,16), auf denen für immer Gottes Zorn lastet (Johannes 3,36). Wir sind „verblendet" (2. Korinther 4,4) und „ausgeschlossen von

Gottes Volk ... Ohne jede Hoffnung und ohne Gott habt ihr in dieser Welt gelebt" (Epheser 2,12). Wir haben nichts Gutes zu bieten. Unsere besten Taten sind nur „Dreck" und „ein schmutziges Kleid" (Philipper 3,8 und Jesaja 64,5) vor einem heiligen Gott. Nennen wir uns einfach Barabbas.

Oder „Schuft", wie John Newton es in der englischen Fassung des bekannten Liedes „Amazing Grace" tut.

Diese Begriffe klingen etwas antiquiert. „Sünde" ist heutzutage genauso Geschichte wie gepuderte Perücken und Kniebundhosen. In unserer modernen Gesellschaft gibt es doch keine „verruchten" Menschen mehr, oder? Irregeleitet, aus einer kaputten Familie, bedauernswert, süchtig, schlecht erzogen, ja, aber doch nicht verrucht! Da haben Sie ein bisschen übertrieben, Herr Newton.

Hat er das wirklich? Lesen Sie einmal Jesu Definition von Sünde im folgenden Abschnitt:

Ein Fürst trat eine weite Reise an. Er sollte zum König gekrönt werden und dann wieder in sein Land zurückkehren. Bevor er abreiste, rief er zehn seiner Knechte zu sich, gab jedem ein Pfund Silberstücke und sagte: „Setzt dieses Geld gewinnbringend ein! Ich komme bald zurück!" Viele Bürger seines Landes aber hassten ihn. Sie schickten eine Gesandtschaft hinter ihm her mit der Erklärung: „Diesen Mann werden wir nicht als König anerkennen!" Lukas 19,12–14

Sündigen heißt, dass wir Gott erklären: „Ich will nicht, dass du mein König bist. Ich will lieber in einem Reich ohne König leben. Oder noch besser: in einem Reich, in dem *ich* der König [oder die Königin] bin."

Stellen Sie sich einmal vor, jemand würde das mit Ihnen machen. Stellen Sie sich vor, Sie machen eine ausgedehnte Reise und überlassen Ihr Haus einem Verwalter. Sie vertrauen ihm Ihren gesamten Besitz an. Während Sie weg sind, zieht er in Ihr Haus ein und erhebt selbst Anspruch darauf. Er klebt sein Namensschild an die Klingel, lässt Ihre Konten auf sich übertragen. Er legt seine schmutzigen Schuhe auf Ihrem Couchtisch ab und lässt seine Kumpels in Ihrem Bett schlafen. Er beansprucht Ihre Autorität und schickt Ihnen eine Nachricht: „Kommen Sie nicht zurück. Hier gehört jetzt alles mir."

In der Bibel wird das als Sünde bezeichnet. Sünde ist kein bedauerliches Missgeschick oder ein gelegentlicher Ausrutscher. Die Sünde plant einen Staatsstreich gegen Gott. Die Sünde stürmt den Palast, beansprucht Gottes Thron für sich und widersetzt sich seiner Autorität. Die Sünde ruft: „Ich will mein Leben selbst bestimmen! Ich brauche dich nicht!" Die Sünde erklärt Gott, er solle verschwinden, sich vom Acker machen und nie wieder zurückkehren. Sünde ist Aufstand auf höchster Ebene, und Sie sind der Aufständische. Ich auch. Und das gilt auch für jeden einzelnen Menschen, der je das Licht der Welt erblickt hat.

Eine der schärfsten Anklagen gegen die Menschheit steht in Jesaja 53, Vers 6: „Wir alle irrten umher wie Schafe, die sich verlaufen haben; jeder ging seinen eigenen Weg." Ihr Weg ist vielleicht der Rausch, meiner die Sammelleidenschaft, jemand anderes sucht sinnliche Befriedigung oder religiöse Selbstdarstellung, aber jeder Mensch versucht, seinen eigenen Weg – ohne Gott – zu gehen. Nicht nur einige von uns haben sich aufgelehnt, sondern wir alle. „Es gibt keinen, auch nicht einen Einzigen, der ohne Sünde ist. Es gibt keinen, der einsichtig ist und nach Gott fragt. Alle haben sich von ihm abgewandt und sind dadurch für Gott unbrauchbar geworden. Da ist wirklich keiner, der Gutes tut, kein Einziger" (Römer 3,10–12).

Das ist eine sehr unbeliebte, aber wichtige Wahrheit. Alle Schiffe, die am Ufer der Gnade einlaufen, sind vom Hafen der Sünde aus in See gestochen. Wir müssen von dort anfangen, wo auch Gott anfängt. Wir werden die Gnade nicht zu schätzen wissen, solange wir nicht begreifen, wer wir wirklich sind. Wir sind Aufständische. Wir sind Barabbas. Wir haben den Tod verdient, genau wie er. Wir sind umgeben von dicken Gefängnismauern aus Angst, Verletzungen und Hass. Wir werden gefangen gehalten von unserer Vergangenheit, unseren minderwertigen Entscheidungen und unserem übertriebenen Stolz. Wir wurden für schuldig erklärt.

Jetzt hocken wir auf dem Boden unserer schmutzigen Gefängniszelle und warten darauf, dass unser letztes Stündlein schlägt. Die Schritte unseres Scharfrichters hallen auf dem Steinboden im Gang wider. Wir haben den Kopf zwischen den Knien vergraben und schauen nicht einmal auf, als er die Zellentür öffnet und anfängt zu sprechen. Wir wissen doch, was er jetzt sagen wird: „Jetzt ist es Zeit, deine Schuld zu begleichen."

Aber dann hören wir etwas ganz anderes: „Du bist frei. Sie haben diesen Jesus an deiner Stelle genommen."

Die Tür geht auf, und die Wachen knurren: „Verschwinde!" Und dann stehen wir im Licht der Morgensonne, die Fesseln sind weg, unser Verbrechen ist vergeben, und wir fragen uns: *Was ist da gerade passiert?*

Gnade ist passiert.

Christus hat uns unsere Schuld genommen. Wo hat er sie hingetan? Er hat sie auf jenen Hügel getragen, der Golgatha heißt, wo er nicht nur die Nägel der Römer ertrug, die ihn durchbohrten, den Spott der Menschenmenge und den Speerstich des Soldaten, sondern auch den Zorn Gottes.

Lassen Sie die folgende Zusammenfassung von Gottes größter Tat einmal Ihr Herz durchdringen:

Doch wir alle werden, ohne dass wir es verdient hätten, allein durch die liebevolle Zuwendung Gottes gerecht gesprochen. Das ist die Erlösung, die Gott uns durch Jesus Christus geschenkt hat. Denn ihn hat er das treffen lassen, was wir eigentlich

verdient hätten: die Strafe für unsere Schuld. Nur weil Jesus für uns sein Blut vergossen hat, konnte Gott unsere Schuld ungestraft lassen.
Römer 3,24–25; WD (Hervorhebung des Autors)

Gott hat unsere Schuld nicht ignoriert, denn er kann sie nicht gutheißen. Er hat Sie nicht dafür bestraft, denn er will Sie nicht vernichten. Stattdessen hat er einen Weg gefunden, die Schuld zu bestrafen, aber den Schuldigen zu verschonen. Jesus hat Ihre Strafe auf sich genommen, und Gott rechnet Ihnen diese Tat an.

In der Bibel wird uns nicht verraten, wie jener Barabbas auf die ihm geschenkte Freiheit reagiert hat. Vielleicht hat er sie aus Stolz verachtet oder aus Scham abgelehnt. Wir wissen es nicht. Aber Sie können sich überlegen, was Sie mit Ihrer Freiheit anfangen wollen. Nehmen Sie sie für sich in Anspruch.

Solange das Kreuz für Sie lediglich Gottes Geschenk an die Welt ist, wird Sie das zwar berühren, aber nicht verändern. So wunderbar es auch ist zu verkünden: „Christus starb für diese Welt", so ist es doch noch wunderbarer zu flüstern: „Christus starb für mich."

„Für *mein* Fehlverhalten ist er gestorben."

„Er hat *meinen* Platz am Kreuz eingenommen."

„Er hat *meine* Schuld getragen, *meine* Hartherzigkeit."

„Durch das Kreuz hat er Anspruch auf *mich*, hat *mich* gereinigt und *mich* berufen."

„Er hat *meine* Scham nachempfunden und *mich* beim Namen genannt."

Seien Sie ein Barabbas, der Danke sagt. Danken Sie Gott für den Tag, an dem Jesus Ihren Platz eingenommen hat und Ihnen Gnade widerfahren ist.

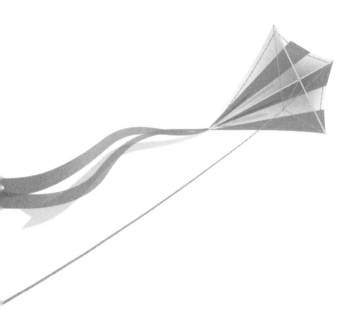

Vier

Kommen Sie zur Ruhe

*Mit unseren Verdiensten können wir uns nichts verdienen.
Nur durch Gottes Wirken verdienen wir alles.*

Deshalb gilt Gottes Zusage allein dem, der glaubt.
Denn was Gott versprochen hatte, sollte ja ein Geschenk sein.
Nur so bleibt die Zusage überhaupt gültig.
Römer 4,16

Ein Mensch, der die Hände voller Päckchen hat,
kann kein Geschenk annehmen.
C. S. Lewis

Der einzige Sinn des Glaubens ist der, dass wir annehmen,
was uns aus Gnade angeboten wird.
John Stott

Sie sind müde. Erschöpfung ist für Sie kein Fremdwort. Sie kennen die Auswirkungen nur zu gut: brennende Augen, hängende Schultern, gedrückte Stimmung, und das Gehirn läuft auf Autopilot. Sie sind müde.

Wir sind alle müde. Wir sind ein müdes Volk, eine müde Generation, eine müde Gesellschaft. Wir hasten, wir eilen. Die Arbeitswoche zieht sich hin wie die Polarnacht. Der Montagmorgen fängt schon sonntagabends an. Wir schleppen uns durch lange Arbeitstage und lange Listen von Dingen, die zu erledigen sind, warten in langen Schlangen und machen lange Gesichter wegen all der Kleinigkeiten, die wir kaufen, und Menschen, denen wir es recht machen wollen. Rasen mähen. Unkraut jäten. Zähne putzen. Windeln wechseln. Der Teppich, die Kinder, der Kanarienvogel – um alles müssen wir uns kümmern.

Die Regierung will höhere Steuern. Die Kinder wollen mehr Spielzeug. Der Chef will längere Arbeitszeiten. Der Verein mehr ehrenamtliche Mitarbeit. Der Ehepartner mehr Aufmerksamkeit. Die Eltern wollen öfter besucht werden. Und die Gemeinde, oh ja, die Gemeinde. Hatte ich die Gemeinde schon erwähnt? Arbeite mehr mit. Bete mehr. Sei öfter da. Lade mehr Leute ein. Lies mehr in der Bibel. Und was kann man schon dagegen sagen? Die Gemeinde spricht ja für Gott.

Jedes Mal, wenn wir ein wenig verschnauft haben, kommt wieder jemand und will irgendetwas. Der Vorarbeiter will den nächsten Ziegelstein für die neue Pyramide.

„Rühr den Lehm an, du Hebräer!"

Ja, da ist er. Ihr Gegenstück aus grauer Vorzeit. Dieser gebückt gehende hebräische Sklave in Ägypten, der im Lendenschurz und mit nacktem Oberkörper Ziegel schleppt. *Die* hatten Grund, müde zu sein! Die Sklaventreiber knallten mit den Peitschen und gaben brüllend Kommandos. Warum? Damit der Pharao mit seinem überdimensionierten Ego wieder mit einer weiteren Pyramide angeben konnte, obwohl er nie auch nur eine Schwiele an den Händen oder einen einzigen Strohhalm aufgehoben hatte.

Aber dann griff Gott ein. „Ich bin der Herr! Ich will euch von eurer schweren Arbeit erlösen und euch von der Unterdrückung durch die Ägypter befreien. Mit starker Hand werde ich die Ägypter strafen und mein Urteil an ihnen vollstrecken. Euch aber werde ich retten" (2. Mose 6,6).

Und das hat er! Er teilte das Rote Meer vor den Israeliten wie einen Vorhang und ließ es dann über den Ägyptern wie das Maul eines Haifischs zuschnappen. Pharaos Armee wurde zu Fischfutter und die Israeliten zu Ehrenbürgern von „Nie-wieder-Land": nie wieder Ziegel schleppen, Lehm rühren, Stroh sammeln. Nie wieder bedeutungslose, stumpfsinnige Sklavenarbeit. Es war, als riefe der ganze Himmel: „Ihr könnt jetzt zur Ruhe kommen!"

Und das taten sie. Eine Million Lungen atmeten erleichtert auf. Sie ruhten. Etwa einen Zentimeter lang. So weit liegen zumindest in meiner Bibel die Kapitel 15 und 16 im 2. Buch Mose auseinander. Die Zeitspanne zwischen diesen beiden Kapiteln beträgt etwa einen Monat. Irgendwo auf diesem einen Zentimeter und in diesem einen Monat beschlossen die Israeliten, dass sie zurückwollten in die Sklaverei. Sie erinnerten sich an die leckeren Sachen in Ägypten. Wahrscheinlich handelte es sich dabei in Wirklichkeit nur um dünne Knochenbrühe, aber die Nostalgie nimmt es mit den Details nicht so genau. Also erklärten sie Mose, sie wollten zurück ins Land der Zwangsarbeit, des Schweißes und der zerschundenen Rücken.

Und Moses Antwort? „Oh Mann, ihr verpeilten Galater! Wer hat es geschafft, euch so zu verwirren?" (Galater 3,1, VOLX-Bibel).

Hoppla! Mein Fehler. Das war nicht Mose, sondern Paulus. Diese Worte waren an Christen gerichtet, nicht an die Hebräer. Neues Testament, nicht Altes. 1. Jahrhundert *nach* Christus, nicht 13. Jahrhundert *vor*. Aber der Irrtum ist verständlich, denn die Christen zur Zeit von Paulus verhielten sich genauso wie die Hebräer zur Zeit von Mose. Beide waren befreit worden, und beide wandten ihrer neuen Freiheit wieder den Rücken zu.

Jene zweite Befreiung übertraf die erste noch. Diesmal schickte Gott nicht Mose, sondern Jesus. Und er schlug nicht den Pharao, sondern Satan. Und nicht mit zehn Plagen, sondern mit einem einzigen Kreuz. Diesmal öffnete sich nicht das Rote Meer, sondern das Grab, und Jesus führt jeden, der ihm folgen will, ins „Nie-wieder-Land": nie wieder peinlichst genau irgendwelche frommen Gesetze einhalten müssen. Nie wieder um Gottes Anerkennung ringen müssen. „Ihr dürft zur Ruhe kommen", sagte er ihnen.

Und das taten sie auch. Etwa vierzehn Seiten lang. So viele liegen in meiner Bibel zwischen Petrus' Pfingstpredigt in Apostelgeschichte 2 und dem Jerusalemer Konzil in Apostelgeschichte 15. In der Pfingstpredigt wurde die Gute Nachricht von der Gnade verkündet. Beim Konzil wurde sie wieder infrage gestellt. Nicht, dass die Menschen nicht daran geglaubt hätten, dass Gott ihnen gnädig war. Das taten sie. Sie glaubten sogar sehr an seine Gnade. Sie glaubten nur *nicht ausschließlich* an die Gnade. Sie wollten dem, was Jesus getan hatte, noch etwas hinzufügen.

Viele Christen glauben an die Gnade. Sehr oft. Jesus hat das Erlösungswerk beinahe vollendet, argumentieren sie. Im Ruderboot der „Himmelsstürmer" sitzt meist Jesus am

Ruder. Aber hin und wieder braucht er unsere Unterstützung. Also helfen wir ihm. Wir sammeln gute Werke, so wie die Pfadfinder Abzeichen sammeln.

Ich hatte meine im Schrank aufbewahrt, nicht, um sie zu verstecken, sondern damit ich sie mir anschauen konnte. Der Tag fing nur dann richtig an, wenn ich einen zufriedenen Blick auf diese Errungenschaften geworfen hatte. Wenn Sie je bei den Pfadfindern waren, werden Sie das nachvollziehen können.

Jedes Abzeichen war der Lohn für meine harte Arbeit. Ich bin einmal über einen See gepaddelt, um das Kanuabzeichen zu bekommen. Für das Schwimmabzeichen bin ich Bahnen geschwommen und habe mir mit dem Schnitzen eines Totempfahls das Abzeichen für Holzarbeiten verdient. Gibt es irgendetwas Zufriedenstellenderes, als sich Abzeichen zu verdienen?

Ja. Sie vorzuzeigen, was ich jeden Donnerstag tat, wenn die Pfadfinder in der Schule ihre Kluft trugen. Ich schritt dann wie Graf Koks über das Schulgelände.

Verdienstabzeichen bringen Ordnung ins Leben. Leistung wird belohnt. Errungenschaften verdienen Applaus. Die Jungs beneideten mich. Die Mädels wurden bei meinem Anblick ohnmächtig. Die Schülerinnen in meiner Klasse schafften es nur durch extreme Selbstbeherrschung, ihre Finger bei sich zu behalten. Ich wusste, dass sie sich heimlich danach sehnten, über meine aufsehenerregenden Abzeichen zu streichen und mich zu bitten, ihren Namen zu morsen.

Ich kam etwa zur gleichen Zeit zum Glauben, als ich auch zu den Pfadfindern kam, und schloss daraus, dass es bei Gott auch Abzeichen für besondere Verdienste gab. Gute Pfadfinder bekommen einen höheren Rang. Gute Menschen kommen in den Himmel.

Also nahm ich mir vor, jede Menge geistlicher Auszeichnungen zu sammeln. Ich hatte eine bestickte Bibel, aber darin lesen tat ich nicht. Ich faltete die Hände, aber wirklich mit Gott sprechen tat ich nicht. Und ich ging zwar regelmäßig in den Gottesdienst, schaltete meinen Verstand aber in Wirklichkeit ab, als ich auf der Kirchenbank saß. Dennoch sah ich in meiner Fantasie Engel, die fleißig Abzeichen für mich stickten. Sie konnten mit meinen Leistungen kaum mithalten und fragten sich, wo sie die Abzeichen noch hinnähen sollten. „Beim Lucado tun mir schon richtig die Finger weh." Ich arbeitete auf den Tag hin, jenen großen Tag, an dem Gott mir inmitten eines Konfettiregens und tanzender Cherubim alle meine Abzeichen anstecken und mich in sein ewiges Reich einladen würde, wo ich die Abzeichen dann demütig eine ganze Ewigkeit lang vorzeigen konnte.

Aber dann kamen einige knifflige Fragen auf: Wenn Gott die Guten rettet, wie gut muss man dann sein? Gott erwartet, dass wir aufrichtig sind, aber wie aufrichtig? Wie viel Prozent darf man übertreiben? Was ist, wenn man 80 Punkte braucht und ich nur 79 habe? Woher weiß man, wie viele Punkte man hat?

Also suchte ich den Rat eines Pastors. Er konnte mir auf meine Frage, wie gut man sein musste, sicher eine Antwort geben. Das tat er dann auch, und das mit nur einem Wort: „Tu." Tu bessere Taten. Tu mehr. Tu es jetzt. „Tu Gutes, dann ist alles in Ordnung." – „Tu mehr, dann wirst du gerettet." – „Tu das Richtige, dann wirst du gerecht."

Tu.
Sei.
Tu. Sei. Tu.
Tusei tusei tusei.

Kommt Ihnen das irgendwie bekannt vor? Vielleicht. Die meisten Menschen halten an dem Glauben fest, Gott rette die Guten. Also seien Sie gut! Seien Sie moralisch korrekt. Seien Sie ehrlich. Seien Sie anständig. Beten Sie den Rosenkranz. Halten Sie den Sabbat. Halten Sie Ihre Versprechen.

Beten Sie fünfmal am Tag Richtung Osten. Halten Sie sich vom Alkohol fern. Zahlen Sie Ihre Steuern. Verdienen Sie sich Abzeichen.

Aber bei all dem Gerede über das Gutsein kann doch niemand die grundlegende Frage beantworten: Wie gut muss man denn nun sein? Grotesk. Hier steht auf dem Spiel, wo wir die Ewigkeit verbringen, aber wir wissen besser über Lasagne-Rezepte Bescheid als über die Voraussetzungen, um in den Himmel zu kommen.

Gott hat einen besseren Vorschlag. „Denn nur durch seine unverdiente Güte seid ihr vom Tod errettet worden. Ihr habt sie erfahren, weil ihr an Jesus Christus glaubt. Dies alles ist ein Geschenk Gottes und nicht euer eigenes Werk" (Epheser 2,8). Wir haben nichts beizusteuern. Absolut nichts. Im Gegensatz zu den Abzeichen der Pfadfinder kann man sich die Errettung nicht verdienen. Ein Geschenk. Mit unseren Verdiensten können wir uns nichts verdienen. Nur durch Gottes Wirken verdienen wir alles.

Das war Paulus' Botschaft an diejenigen, die meinten, Gnade sei schön und gut, reiche aber nicht aus. Ich sehe ihn vor mir – er hat einen roten Kopf, die Fäuste geballt, und seine Halsschlagader tritt hervor. „Von diesem Fluch des Gesetzes hat uns Christus erlöst. Als er am Kreuz starb, hat er diesen Fluch auf sich genommen" (Galater 3,13). Mit anderen Worten: „Sagt Nein zu den Pyramiden und den Ziegelsteinen. Sagt Nein zu den Regeln und den Listen! Sagt Nein zu Sklaverei und Leistung. Sagt Nein zu Ägypten. Jesus hat euch befreit. Wisst ihr, was das bedeutet?!"

Sie wussten es offensichtlich nicht.

Wissen Sie es?

Wenn nicht, dann wissen Sie, warum Sie so müde sind. Vertrauen Sie doch auf Gottes Gnade!

Folgen Sie dem Beispiel der chilenischen Minenarbeiter. Als sie unter siebenhundert Metern Felsen gefangen waren, waren die 33 Männer am Verzweifeln. Als einer der Hauptstollen eingestürzt war, wurde ihr Ausweg versperrt, und sie mussten ums Überleben kämpfen. Sie aßen zwei Löffel Tunfisch, einen Bissen Pfirsich und tranken einen Schluck Milch – jeden zweiten Tag. Zwei Monate lang beteten sie, dass jemand kommen und sie retten würde.

An der Oberfläche arbeiteten die chilenischen Rettungsmannschaften rund um die Uhr, berieten sich mit der NASA und trafen sich mit Experten. Sie bauten eine vier Meter hohe Kapsel und bohrten zuerst einen schmalen Kommunikationsschacht und dann einen breiteren Rettungstunnel. Es gab keine Garantie, dass das funktionieren würde. Noch nie war jemand so lange Zeit unter Tage eingesperrt gewesen und hatte es überlebt.

Jetzt schon.

Am 13. Oktober 2010 kamen die Männer heraus, beglückwünschten sich und führten Freudentänze auf. Ein Urgroßvater war darunter. Ein 44-Jähriger, der heiraten wollte. Und ein 19-Jähriger. Jeder hatte eine andere Geschichte zu erzählen, aber alle hatten die gleiche Entscheidung getroffen. Sie vertrauten darauf, dass andere sie retten würden. Keiner von ihnen wies das Angebot, gerettet zu werden, mit den Worten ab: „Ich komme schon allein hier raus. Gebt mir nur einen neuen Bohrer." Sie hatten ihr steinernes Grab lange genug angestarrt, um einstimmig zum Schluss zu gelangen: „Wir brauchen Hilfe. Wir brauchen jemanden, der zu uns hier unten durchbricht und uns herauszieht." Und als die Rettungskapsel kam, kletterten sie hinein.

Warum fällt es uns so schwer, es genauso zu machen?

Es fällt uns leichter, an das Wunder der Auferstehung zu glauben als an das Wunder der Gnade. Wir haben solche Angst zu versagen, dass wir uns nach außen den Anschein geben, wir seien perfekt und hätten alles im Griff. Doch das tun wir nur, damit der Himmel nicht noch enttäuschter von uns ist, als wir es selbst schon sind. Und das Ergebnis? Wir sind unglaublich müde.

Der Versuch, sich selbst zu retten, führt nur zur Erschöpfung. Wir hetzen und eilen, versuchen, Gott zu gefallen, sammeln Abzeichen und Bonuspunkte und ärgern uns über jeden, der unsere Verdienste infrage stellt. Wir sind die Gemeinde der Langgesichter und Hängeschultern.

Schluss damit! Es ist endgültig genug mit diesem Wahnsinn. „Es ist das Größte, wenn jemand seine ganze Hoffnung auf Gottes Gnade setzt und sich durch nichts davon abbringen lässt" (Hebräer 13,9). Jesus sagt nicht: „Kommt alle her zu mir, die ihr vollkommen und sündlos seid." Ganz im Gegenteil. „Kommt alle her zu mir, die ihr euch abmüht und unter eurer Last leidet! Ich werde euch Ruhe geben" (Matthäus 11,28).

Da gibt es kein Kleingedrucktes. Das dicke Ende wird nicht kommen. Gottes Versprechen haben keine Haken. Um Himmels willen, lassen Sie die Gnade Einzug halten. Nie mehr Leistung bringen für Gott. Nie mehr um Gottes Zuneigung buhlen. Es gibt vieles im Leben, das man sich verdienen muss, aber Gottes endlose Liebe gehört nicht dazu. Sie gehört Ihnen schon. Machen Sie es sich in einer Hängematte der Gnade bequem.

Sie dürfen jetzt zur Ruhe kommen.

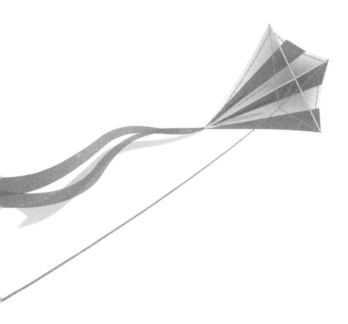

Fünf

Nasse Füße

*Gnade annehmen heißt, sich dazu zu verpflichten,
sie weiterzugeben.*

*Seid vielmehr freundlich und barmherzig,
und vergebt einander,
so wie Gott euch durch Jesus Christus vergeben hat.*
Epheser 4,32

*Gott erfand die Vergebung, denn sie ist der einzige Weg,
wie er seine Liebesbeziehung zu den gefallenen Menschen
aufrechterhalten kann.*
Lewis Smedes

Wer seine Verletzungen nicht überwindet, überträgt sie.
Richard Rohr

Wenn uns für unsere Verletzungen Haare wachsen würden, hätten wir alle ein Bärenfell. Sogar die samthäutigen Schönheiten auf den Titelblättern der Zeitschriften, die selbstbeherrschten Prediger auf der Kanzel und die nette alte Dame von nebenan. Alle. Wir wären wuschelige, zottelige Wesen. Wenn uns für unsere Verletzungen Haare wachsen würden, könnten wir uns hinter einem dicken Fell verstecken.

Denn sind es nicht unheimlich viele? So viele Verletzungen. Wenn andere Kinder sich darüber lustig machen, wie du läufst, schmerzen ihre Beleidigungen. Wenn Lehrer deine Anstrengungen ignorieren, tut das weh. Wenn deine Freundin dich sitzen lässt, wenn Ihr Mann Sie verlässt, wenn Ihr Arbeitgeber Ihnen kündigt, dann tut das weh. Ablehnung ist immer schmerzhaft. Dass andere Menschen Sie verletzen werden, ist so sicher wie das Amen in der Kirche. Manchmal tun sie es absichtlich. Manchmal unabsichtlich.

Victoria Ruvolo kann Ihnen ein Lied davon singen. An einem Novemberabend im Jahr 2004 war die 44-jährige New Yorkerin auf dem Weg zu ihrem Haus auf Long Island. Sie kam gerade von einer Aufführung ihrer Nichte und freute sich auf ihr Sofa, ein gemütliches Feuer im Kamin und Zeit zum Entspannen.

Sie kann sich nicht daran erinnern, den silbernen Nissan gesehen zu haben, der ihr aus östlicher Richtung entgegenkam. Sie erinnert sich nicht an den 18-Jährigen, der sich aus dem Fenster des Wagens lehnte und ausgerechnet einen tiefgefrorenen Truthahn auf ihre Windschutzscheibe warf. Der knapp zehn Kilo schwere Vogel krachte durch die Scheibe, drückte das Lenkrad nach innen und zerschmetterte ihr Gesicht wie einen Porzellanteller, der auf Steinfliesen fällt. Nach diesem üblen Scherz kämpfte sie lange auf der Intensivstation ums Überleben. Sie überlebte, aber die Ärzte mussten ihren Kiefer mit Draht fixieren, ein Auge mit einer Synthetikfolie befestigen und die Schädeldecke mit Titanplatten stabilisieren. Jedes Mal, wenn sie in den Spiegel sieht, wird sie daran erinnert.[1]

Sie wurden zwar nicht von einem Truthahn getroffen, aber vielleicht haben Sie ja eine Gans geheiratet oder arbeiten für eine oder wurden von einer sitzen gelassen. An wen wenden Sie sich jetzt mit Ihren Verletzungen? An www.rache-ist-suess.de? „Jack Daniels Consulting"? Das Tierheim für arme schwarze Kater?

Wir können vermutlich die folgende Reaktion einiger US-Soldaten in Afghanistan gut verstehen. Ein Soldat aus ihrem Trupp bekam einen Brief von seiner Freundin, in dem diese ihm den Laufpass gab. Was die Sache noch schlimmer machte, war, dass sie ihn bat: „Bitte schick mir mein Lieblingsbild von mir zurück, weil ich es für meine Verlobungsanzeige in der Zeitung verwenden will. Ich heirate nämlich einen anderen."

Autsch! Aber seine Kameraden kamen ihm zu Hilfe. Sie sammelten im gesamten Lager Bilder von allen Freundinnen der übrigen Soldaten ein. Und es war ein ganzer Schuhkarton voll. Der sitzen gelassene Soldat schickte die Schachtel seiner Ex-Freundin und fügte eine Nachricht bei: „Bitte such dir dein Bild heraus, und schick mir den Rest zurück. Ich kann mich beim besten Willen nicht mehr daran erinnern, welches von dir war."[2]

Rache hat etwas Verlockendes. Aber Jesus hat eine bessere Idee.

Im 13. Kapitel des Johannesevangeliums wird von den Ereignissen in der Nacht vor Jesu Kreuzigung berichtet. Er hatte sich mit seinen Jüngern im Obergemach eines Hauses versammelt, um das Passahmahl zu feiern. Johannes beginnt seinen Bericht mit einer sehr hochtrabenden Aussage: „Jesus aber wusste, dass der Vater ihm alles in die Hand gegeben hatte, dass er von Gott gekommen war und zu ihm zurückkehren würde" (Vers 3).

Jesus wusste, wer er war und wozu er auf dieser Erde war. Wer war er? Der Sohn Gottes. Wozu war er auf der Erde? Um seinem Vater zu dienen. Jesus war sich seiner Identität und seiner Autorität bewusst. „Da stand er vom Tisch auf, legte sein Obergewand ab und band sich ein Tuch aus Leinen um. Er goss Wasser in eine Schüssel und begann, seinen Jüngern die Füße zu waschen und mit dem Tuch abzutrocknen" (Verse 4–5).

Jesus – Geschäftsführer, Cheftrainer, König der Welt, Herrscher der Meere – wusch den anderen die Füße.

Ich bin kein großer Fan von Füßen. Ich soll Ihnen in die Augen schauen? Natürlich. Ich soll Ihnen die Hand schütteln? Aber ja doch. Ich soll Ihnen den Arm um die Schultern legen? Immer gerne. Ich soll einem Kind die Tränen abwischen? Kein Problem. Aber Ihre Füße waschen? Nein danke.

Füße stinken. Niemand kreiert ein Parfüm und nennt es „Schweißfuß Deluxe" oder „Stinksocke No 5". Füße haben nicht gerade den Ruf, gut zu riechen.

Und auch nicht den, gut auszusehen. Kein Geschäftsmann hat ein Bild von den Zehen seiner Frau auf dem Schreibtisch. Großeltern tragen keine Fußbilder ihrer Enkel mit sich. „Ist das nicht die schönste Fußwölbung, die Sie je gesehen haben?" Wir wollen das Gesicht der Menschen sehen, nicht ihre Füße.

Füße haben eine Ferse. Sie haben Fußnägel. Sie haben einen Hallux und Fußpilz. Sie haben Hühneraugen und

Hornhaut. Und sie haben Warzen! Manche sind so groß, dass man ihnen eine eigene Postleitzahl zuteilen könnte. Und sie haben einen großen Onkel. Entschuldigt vielmals, ihr Fußpfleger und Kosmetikerinnen, aber ich bin keiner von euch. Füße stinken und sind hässlich, und das ist, glaube ich, der Kern dieser Geschichte.

Jesus berührte die stinkenden, hässlichen Körperteile seiner Jünger. Und er wusste, dass er von Gott kam. Er wusste, dass er wieder zu Gott gehen würde. Er wusste, dass ihm aufgrund eines Räusperns oder einer hochgezogenen Augenbraue jeder Engel im ganzen Universum zu Diensten stehen würde. Er wusste, dass sein Vater ihm Vollmacht über alles gegeben hatte, und tauschte sein Gewand gegen den Schurz eines Sklaven, ging auf die Knie und fing an, die Dreckkruste, die bei den Wanderungen auf den Füßen seiner Jünger zurückgeblieben war, abzuwaschen.

Das war eigentlich die Aufgabe eines Sklaven oder Dieners. Wenn ihr Herr nach Hause kam und den ganzen Tag über staubige Straßen gegangen war, dann erwartete er, dass ihm die Füße gewaschen wurden. Sein unterster Diener empfing ihn mit einem Handtuch und einer Schüssel Wasser an der Tür.

Aber im Obergemach gab es keinen Diener. Und einen Wasserkrug? Ja. Eine Schale und ein Tuch? Dort in der Ecke auf dem Tisch. Aber niemand holte sie. Niemand rührte sich. Jeder der Jünger hoffte, jemand anderes würde die Schale nehmen. Petrus dachte, Johannes würde es tun. Johannes dachte, Andreas würde es tun. Jeder der Apostel erwartete, dass jemand anderes die Füße waschen würde.

Und tatsächlich machte es auch einer.

Jesus ließ keinen einzigen seiner Jünger aus, obwohl man es ihm nicht hätte verübeln können, wenn er Philippus übergangen hätte. Als Jesus seinen Jüngern den Auftrag gab, den fünftausend hungrigen Menschen zu

Essen zu geben, widersprach ihm Philippus: „Unmöglich!" (Johannes 6,7). Und was tut Jesus mit jemandem, der seine Anweisungen infrage stellt? Anscheinend wäscht er dem Zweifler die Füße.

Jakobus und Johannes versuchten, sich bei Jesus einzuschmeicheln, um Führungspositionen in dessen Königreich zu bekommen. Und was macht Jesus mit Menschen, die sein Reich für ihre persönlichen Interessen missbrauchen? Er kniet sich mit der Wasserschüssel vor sie hin.

Petrus hatte mitten im Sturm sein Vertrauen in Christus verloren. Er versuchte, Jesus davon abzuhalten, ans Kreuz zu gehen. Und in wenigen Stunden würde Petrus leugnen, Jesus überhaupt zu kennen, und würde so schnell wie möglich untertauchen. Ja, alle vierundzwanzig Jünger-Füße würden sich aus dem Staub machen und Jesus seinen Anklägern überlassen. Haben Sie sich schon einmal gefragt, was Gott mit Wortbrüchigen macht? Er wäscht ihnen die Füße.

Und Judas? Diese verlogene, hinterhältige, gierige Ratte, die Jesus in Kürze für eine Handvoll Kleingeld verraten würde. Seine Füße wird Jesus doch nicht waschen, oder? Ich hoffe nicht. Wenn er die Füße seines Judas wäscht, dann müssen Sie auch die Füße Ihres Judas waschen. Ihres Verräters. Ihres Truthahn werfenden Tunichtguts und Mistkerls. Jesu Judas machte sich mit dreißig Silbermünzen davon. Ihr Judas machte sich vielleicht mit Ihrer Jungfräulichkeit, Ihrer Sicherheit, Ihrem Ehepartner, Ihrem Job, Ihrer Kindheit, Ihrer Altersvorsorge, Ihren Geldanlagen davon.

Erwarten Sie jetzt, dass ich ihm die Füße wasche und ihn davonkommen lasse?

Die meisten Menschen wollen das nicht. Sie verwenden das Foto des Mistkerls als Zielscheibe für Dartpfeile. Ihr Vulkan bricht immer einmal wieder aus und bläst eine Wolke voll Hass in die Luft, die die Umgebung verschmutzt und verpestet. Die meisten Menschen lassen ihren Hass auf kleiner Flamme weiterköcheln.

Aber Sie sind nicht „die meisten Menschen". Sie haben die Bekanntschaft der Gnade gemacht. Blicken Sie doch einmal auf Ihre Füße hinab. Sie sind nass, in Gnade getränkt. Ihre Zehen, die Ferse und der Spann haben die angenehme Kühle von Gottes Gnade zu spüren bekommen. Jesus hat die schmutzigsten Bereiche Ihres Lebens gewaschen. Er ist nicht an Ihnen vorbeigegangen und hat die Schüssel vor jemand anderem abgestellt. Wenn die Gnade ein Getreidefeld wäre, dann hat er Ihnen ein riesiges Landwirtschaftsgebiet vermacht. Können Sie Ihre Gnade da nicht mit anderen teilen?

„Wie ich, euer Meister und Herr, euch jetzt die Füße gewaschen habe, so sollt auch ihr euch gegenseitig die Füße waschen. Ich habe euch damit ein Beispiel gegeben, dem ihr folgen sollt. Handelt ebenso!" (Johannes 13,14–15).

Gnade annehmen heißt, sich dazu zu verpflichten, sie weiterzugeben.

Victoria Ruvolo hat das getan. Neun Monate nach dieser katastrophalen Novembernacht stand sie dem Täter vor Gericht von Angesicht zu mit Titan verstärktem Angesicht gegenüber. Ryan Cushing war nicht mehr der großspurige, Truthahn werfende Halbstarke im Nissan. Er zitterte, weinte, und es tat ihm leid. Für New York war er zum Symbol einer Generation von Kindern geworden, die außer Kontrolle geraten waren. Der Gerichtssaal war gerammelt voll mit Menschen, die darauf warteten, dass er seine wohlverdiente Strafe bekommen würde. Das Urteil des Richters machte sie wütend – nur sechs Monate Haft, fünf Jahre auf Bewährung, Beratungsgespräche und Sozialdienst.

Der Gerichtssaal explodierte. Alle protestierten. Alle außer Victoria Ruvolo. Die Strafminderung war ihre Idee gewesen. Der junge Mann kam zu ihr, und sie umarmte ihn. Vor den Augen des Richters und aller Anwesenden hielt sie ihn in den Armen und strich ihm übers Haar. Er schluchzte, und sie sagte: „Ich vergebe dir. Ich will, dass du aus deinem Leben das Beste machst."[3]

Sie ließ zu, dass ihre Reaktion von der Gnade bestimmt wurde. „Gott hat mir eine zweite Chance gegeben, und die habe ich weitergegeben", sagt sie über ihre Großzügigkeit.[4] „Wenn ich meinen Zorn nicht losgelassen hätte, dann hätte mich das Verlangen nach Rache verzehrt. Ihm zu vergeben hilft mir weiterzuleben."[5]

Ihr Unglück wurde zu ihrem Auftrag: Sie arbeitet ehrenamtlich in der Bewährungshilfe. „Ich versuche, anderen zu helfen, aber ich weiß auch, dass ich für den Rest meines Lebens ‚Miss Truthahn' sein werde. Aber es könnte schlimmer sein. Wenn er mit einer Schweinshaxe geworfen hätte, wäre ich jetzt ‚Miss Piggy'!"[6] Victoria Ruvolo versteht es, mit Wasserschüssel und Handtuch umzugehen.

Und Sie?

Wenn Sie wollen, können Sie ein Gefängnis aus Hass errichten. Jede Verletzung ist ein Stein. Sie brauchen nur eine Einzelzelle mit einem Bett. (Niemand wird die Zelle freiwillig mit Ihnen teilen wollen.) Hängen Sie an jede Wand einen großen Bildschirm, damit Sie rund um die Uhr alles noch einmal anschauen können, was man Ihnen angetan hat. Bei Bedarf gibt es auch Kopfhörer. Anziehend, oder? Nein, eher abstoßend. Wer Groll hegt, nimmt sich selbst die Freude am Leben. Durch Rache wird der Himmel nicht wieder blau, und sie beschwingt auch nicht. Oh nein. Sie macht bitter und zornig und verbiegt uns. Geben Sie die Gnade weiter, die Ihnen geschenkt wurde.

Damit heißen Sie das, was man Ihnen angetan hat, nicht gut. Jesus hat Ihre Schuld auch nicht gutgeheißen, als er Ihnen vergeben hat. Gnade heißt nicht, dass die Tochter, die von ihrem Vater vergewaltigt wurde, ihn mögen muss. Es heißt nicht, dass die Unterdrückten Ungerechtigkeit willkommen heißen sollen. Wessen Leben von Gnade bestimmt wird, schickt Diebe trotzdem ins Gefängnis und erwartet vom Ex, dass er Unterhalt für seine Kinder zahlt.

Gnade ist nicht blind. Sie sieht die Verletzungen sehr genau. Aber die Gnade beschließt, Gottes Vergebung noch genauer zu sehen. Sie lässt sich nicht von Verletzungen das Herz vergiften. „Achtet darauf, dass keiner von euch an Gottes Gnade gleichgültig vorübergeht, damit sich das Böse nicht bei euch breitmacht und die ganze Gemeinde vergiftet" (Hebräer 12,15). Wo keine Gnade ist, macht sich Verbitterung breit. Wo sich Gnade verbreitet, wächst Vergebung.

Am 2. Oktober 2006 betrat Charles Carl Roberts um zehn Uhr morgens die amische Schule in Nickel Mines in Pennsylvania. Er hatte eine Pistole, ein Jagdgewehr, eine Schrotflinte, einen Sack Schwarzpulver, zwei Messer, Werkzeug, eine Schreckschusspistole, sechshundert Schuss Munition, Gleitmittel, Draht und Kabelbinder dabei. Mit den Kabelbindern fesselte er elf Mädchen zwischen sechs und fünfzehn Jahren. Als er sie erschießen wollte, trat die 13-jährige Marian Fisher vor und sagte: „Erschießen Sie mich zuerst." Ihre jüngere Schwester soll Roberts gebeten haben, sie als Nächste zu erschießen. Er erschoss zehn junge Mädchen und brachte sich dann selbst um. Drei der Mädchen waren sofort tot, zwei starben am Tag darauf im Krankenhaus. Die Tragödie erschütterte die ganze Nation.

Noch erschütternder war die Vergebung der Amischen. Mehr als die Hälfte der Menschen, die zu Roberts' Beerdigung kamen, waren Amische.

Eine amische Hebamme, die viele der getöteten Mädchen zur Welt gebracht hatte, wollte der Familie des Mörders Lebensmittel bringen. Sie sagte: „Das ist möglich, wenn man Jesus im Herzen hat."[7]

Die Reihenfolge ist wichtig: Jesus wäscht zuerst Füße, dann waschen wir Füße. Er macht es vor, wir machen es nach. Er nimmt das Handtuch und hält es uns dann hin und sagt: „Jetzt bist du dran. Geh durch dein Obergemach zu deinem Judas, und wasch ihm die Füße."

Dann los! Machen Sie sich die Füße nass. Ziehen Sie Schuhe und Strümpfe aus, und tauchen Sie Ihre Füße in die Schüssel. Erst den einen, dann den anderen. Lassen Sie sich von Gott allen Dreck aus Ihrem Leben waschen – Ihre Unehrlichkeit, Ihren Ehebruch, Ihre Wutausbrüche, Ihre Heuchelei, die Pornografie. Lassen Sie zu, dass er alles erfasst. Und schauen Sie sich im Raum um, während er Ihnen die Füße wäscht. Wo sitzt Ihr Judas?

Vergebung erfolgt nicht immer sofort. Aber sie kann in Ihrem Leben erfolgen. Schließlich haben Sie nasse Füße.

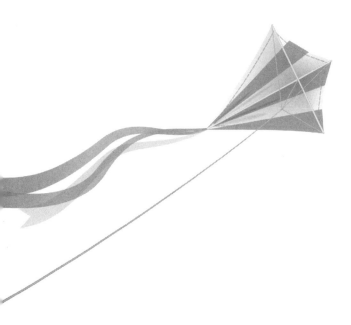

Sechs

Gnade vor dem Durchbruch

*Gott sieht in Ihnen ein Meisterwerk,
das jeden Moment enthüllt werden wird.*

Gepriesen sei der Herr, der es dir heute nicht an einem Löser hat fehlen lassen.
Rut 4,14; EÜ

Herr, ich bin mit meiner leeren Tasse durch die Wildnis zu dir gekrochen ... Wenn ich dich doch nur besser gekannt hätte, dann wäre ich mit einem leeren Eimer zu dir gerannt.
Nancy Spiegelberg

Das schwache Evangelium verkündet:
„Gott ist bereit zu vergeben",
das mächtige Evangelium verkündet:
„Gott hat euch erlöst."
P. T. Forsyth

Die Wüste Juda. Zwei Gestalten tauchten am Horizont auf. Eine war eine alte Witwe. Die andere eine junge. Das Gesicht der ersten war von Falten durchzogen. Beide waren vom Staub der Straße bedeckt. Sie hielten sich beim Gehen so eng aneinander, dass ein zufälliger Beobachter sie für eine einzige Person hätte halten können. Noomi und Rut hätte das nichts ausgemacht, denn sie hatten nur noch einander.

Vor zehn Jahren hatte eine Hungersnot Noomi und ihren Mann veranlasst, Bethlehem den Rücken zu kehren. Sie hatten ihr Land verlassen und waren ins feindliche Gebiet der Moabiter übergesiedelt. Dort fanden sie fruchtbaren Boden vor, den sie bewirtschaften konnten, und Frauen für ihre beiden Söhne. Aber dann traf sie das Schicksal hart. Noomis Mann starb. Und ihre beiden Söhne auch. Noomi beschloss, in ihre Heimatstadt Bethlehem zurückzukehren. Rut, eine ihrer Schwiegertöchter, beschloss, mit ihr zu gehen.

Die beiden waren ein mitleiderregendes Paar, als sie so ins Dorf kamen. Kein Geld. Kein Besitz. Keine Kinder und kein Land zum Bewirtschaften. Im 12. Jahrhundert vor Christus bot ein Ehemann einer Frau Schutz, und ihre Zukunft lag in den Händen ihrer Söhne. Diese beiden Witwen hatten keines von beidem. Sie konnten froh sein, wenn sie bei der Heilsarmee Unterschlupf für die Nacht fanden.

Letzten Sonntag ist mir Rut begegnet. Sie kam während des Gottesdienstes nach vorne, um für sich beten zu lassen. Sie war blass, mager, hatte ein tränenverschmiertes Gesicht und verschränkte die Arme vor der Brust, als müsse sie ihr Herz festhalten, damit es ihr nicht in die Hose rutschte. Sie wirkte ungepflegt: Jeans, Flip-Flops, ungekämmte Haare. Allein schon in den Gottesdienst zu gehen, war eine Herausforderung für sie, ganz davon zu schweigen, sich auch noch ordentlich anzuziehen. Bei ihr war kürzlich die Autoimmunerkrankung Lupus diagnostiziert worden, und sie hatte ständig Schmerzen. Um die Rechnungen bezahlen zu können, hatte sich ihr Mann von seinem Arbeitgeber in die Türkei versetzen lassen; sie war also mit ihrem Sohn seit einem Jahr allein. Ihr Sohn hatte sich der Gothic-Szene zugewandt. Er sprach kaum noch, und wenn dann nur vom Tod und von Teufeln. In der vergangenen Woche hatte er Selbstmordgedanken geäußert.

Diese Mutter hatte wahrscheinlich noch nie von Noomi und Rut gehört, aber sie musste von ihnen erfahren.

Genauso wie der Mann, der im Foyer unserer Gemeinde auf mich zukam. Er sah aus, als sei er ein Basketballprofi. Ich bekam ein steifes Genick, als ich zu ihm aufsah. Aber er hatte nie Basketball gespielt. Er war Pharmavertreter, aber das Unternehmen, für das er arbeitete, ging den Bach hinunter. Nachdem die Zahlen mehrere Jahre rückläufig gewesen waren, kam es zu Entlassungen, Etatkürzungen, und er selbst hatte seit zwölf Monaten kein Gehalt bekommen! Diese Woche würde er sich der immer größer werdenden Zahl von Menschen anschließen, die sich dort einreihen, wo sie sich in ihren schlimmsten Träumen nicht gesehen haben: in der Schlange beim Arbeitsamt. Er lebte zwar dreitausend Jahre nach Rut, aber seine Situation war ihrer gar nicht so unähnlich.

Die Hoffnung hat nur noch die Größe eines Senfkorns. Lösungen gibt es so viele wie Sonne am Polarkreis im Januar. Das Leben befindet sich im Kriegszustand. Dürre, Zweifel, Schulden, Krankheit. Erlebt man hier noch

Gnade? Erleben kranke Mütter, arbeitslose Väter und mittellose Witwen aus Moab sie? Wenn Sie sich das jetzt fragen, dann lesen Sie weiter. Ruts Geschichte wurde für Menschen wie Sie aufgeschrieben.

Die beiden Frauen kamen ins Dorf geschlurft und machten sich daran, etwas zu essen zu finden. Rut begab sich zu einem nahe gelegenen Feld, um so viel Getreide aufzulesen, dass sie ein Brot backen konnte. Auftritt Boas von rechts. Stellen wir uns einen Kleiderschrank von einem Mann mit kantigen Gesichtszügen, welligem Haar, Bizeps, Sixpack, strahlend weißen Zähnen und den Taschen voller Geld vor. Abschluss an einer anerkannten Uni, Privatflugzeug, ertragreiche Landwirtschaft, großes, abbezahltes Haus. Er hatte nicht im Geringsten vor, sein gutes Leben durch eine Heirat zu unterbrechen.

Aber dann sah er Rut. Sie war nicht die erste Ausländerin, die auf seinen Feldern Getreide sammelte. Aber sie war die Erste, die ihm dabei das Herz raubte. Einen Augenblick lang trafen sich ihre Blicke. Mehr brauchte es auch nicht. Ihre mandelförmigen Augen, ihre schokoladenbraunen Haare, das bezaubernde, leicht fremdländische Gesicht, die leichte Röte auf ihren Wangen. Sein Herz klopfte wie bei einem Solo auf der Kesselpauke, und seine Knie wurden weich wie Pudding. Im Handumdrehen fand Boas ihren Namen heraus, wer sie war und ihren Status bei Facebook. Er gab ihr einen besseren Arbeitsplatz, lud sie zum Abendessen ein und befahl dem Aufseher, dafür zu sorgen, dass sie fröhlich nach Hause ging. Kurz gesagt, er war gütig zu ihr. Zumindest formulierte Rut es so: „Du bist sehr gütig zu mir, Herr. Du hast mir Mut gemacht und so freundlich zu deiner Magd gesprochen und ich bin nicht einmal eine deiner Mägde" (Rut 2,13; EÜ).

Rut ging mit fünfzehn Kilo Getreide und einem Lächeln im Gesicht nach Hause, das sich nicht verbergen ließ. Als Noomi die Geschichte hörte, erkannte sie den Namen und auch ihre Gelegenheit. „Boas ... Boas. Der Name kommt mir bekannt vor. Er ist der Sohn von Rahab! Der kleine, sommersprossige Wirbelwind, der mir bei unseren Familientreffen immer über den Weg lief. Rut, er ist einer unserer Cousins!"

In Noomis Kopf überschlugen sich die Gedanken. Es war Erntezeit, und Boas würde mit seinen Leuten zu Abend essen und die Nacht auf der Tenne verbringen, um das Getreide vor Dieben zu schützen. „Nimm ein Bad, verwende duftende Salben, zieh dein schönstes Kleid an, und geh dorthin! Pass auf, dass er dich nicht entdeckt, bevor er gegessen und getrunken hat. Merk dir genau die Stelle, wo er sich hinlegt. Wenn er dann eingeschlafen ist, schlüpf am Fußende unter seine Decke! Alles Weitere wird er dir schon sagen" (Rut 3,3–4).

Moment mal!? Was hat denn diese mitternächtliche moabitische Verführung in der Bibel zu suchen? Boas vollgefressen und müde. Rut frisch gebadet und parfümiert. *Schlüpf am Fußende unter seine Decke.* Was hatte Noomi sich nur dabei gedacht?

Sie dachte, dass es Zeit sei, dass Rut wieder ihr normales Leben lebte. Rut trauerte immer noch um ihren verstorbenen Mann. Als Noomi ihr sagte, sie solle ihr schönstes Kleid anziehen, beschrieb sie damit die Kleidung, die man trug, wenn die Trauerzeit vorüber war.[1] Solange Rut in Trauerkleidung herumlief, würde ein ehrbarer Mann wie Boas sich ihr niemals nähern. Vielleicht wollte Noomi Rut also dazu bewegen, ihre Trauerkleidung abzulegen. Neue Kleider zeigten, dass Rut wieder voll am gesellschaftlichen Leben teilhaben würde.

Noomi dachte auch an das Gesetz des sogenannten Lösers. Wenn ein Mann starb und keine Kinder hatte, dann wurde sein Besitz nicht seiner Frau, sondern seinem Bruder übertragen. Dadurch blieb das Land in der Familie. Aber gleichzeitig war die Witwe dadurch schutz- und mittellos. Um sie zu schützen, verlangte das Gesetz, dass der Bruder des Verstorbenen die kinderlose Witwe heiratete.

Noomi und Rut hatten zwar keine Kinder, aber sie hatten einen Cousin namens Boas, der schon einmal freundlich zu ihnen gewesen war. Vielleicht wäre er es noch ein weiteres Mal. Es war einen Versuch wert. „Sie bereitete alles so vor, wie ihre Schwiegermutter es ihr vorgeschlagen hatte, und ging zur Tenne. Als Boas gegessen und getrunken hatte, legte er sich zufrieden am Rand eines Getreidehaufens schlafen" (Verse 6–7).

Rut hielt sich im Schatten und beobachtete die Männer, wie sie ums Lagerfeuer saßen und aßen. Einer nach dem anderen standen sie auf und legten sich schlafen. Das Lachen und Plaudern verwandelte sich langsam in Schnarchen. Schon bald war es still auf der Tenne. Im Licht des herabbrennenden Feuers schlich Rut zwischen den Körpern der schlafenden Männer hindurch zu Boas. Als sie ihn gefunden hatte, hob sie seine Decke und „schlüpfte am Fußende seines Lagers unter die Decke. Um Mitternacht fuhr Boas aus dem Schlaf hoch. Er beugte sich vor und entdeckte eine Frau, die zu seinen Füßen lag" (Verse 7–8).

Wenn man plötzlich eine Frau am Fußende seines Bettes vorfindet, reißt einen das aus gutem Grund aus dem Schlaf! Diese Geste war nämlich gleichbedeutend mit einem Heiratsantrag. ‚„Ich bin Rut', antwortete sie. ‚Ich habe eine Bitte: Als naher Verwandter von mir bist du dafür verantwortlich, dass ich keine Not leide. Breite dein Gewand über mich aus als Zeichen dafür, dass du mich heiraten wirst'" (Vers 9).

Ein gewagter Schritt. Boas war keineswegs verpflichtet, sie zu heiraten. Er war zwar ein Verwandter, aber nicht der Bruder des Toten. Außerdem war sie eine Ausländerin, er hingegen ein bedeutender Grundbesitzer. Sie war eine verzweifelte Fremde, er besaß Einfluss. Sie war vollkommen unbekannt, er war sehr bekannt.

„Wirst du uns schützen?", fragte sie ihn, und Boas lächelte.

Jetzt wurde er aktiv. Er berief eine Sitzung mit zehn der Dorfältesten ein. Er holte noch einen anderen Mann hinzu, der, wie sich herausstellte, ein noch näherer Verwandter von Noomi war als er. Wahrscheinlich hatte Noomis verstorbener Mann seinen Besitz an jemanden außerhalb der Familie verkauft, als er vor der Hungersnot geflohen war. Als Boas diesem näheren Verwandten von dem Grundbesitz erzählte, sagte der Mann, er werde von seinem Vorrecht Gebrauch machen und den Besitz zurückkaufen.

Aber dann las Boas ihm das Kleingedruckte vor: „Wenn du von Noomi das Grundstück erwirbst, musst du auch die Moabiterin Rut heiraten und einen Sohn zeugen, der als Nachkomme ihres verstorbenen Mannes gilt. Er wird eines Tages das Feld erben, und so bleibt es im Besitz dieser Familie" (Rut 4,5). Zu dem Grundbesitz gab es also noch zwei Frauen dazu. Der Verwandte scheute vor dem Angebot zurück, und man ahnt, dass Boas wusste, dass sein Konkurrent so reagieren würde. Sobald der andere Verwandte abgelehnt hatte, schnappte Boas sich Ruts Hand und führte sie schnurstracks zum Altar. Letzten Endes bekam Boas, was er wollte – die Gelegenheit, Rut zu heiraten. Und Rut bekam, was sie sich nie hätte träumen lassen: einen Mann, der um sie kämpfte.

Inzwischen ist Ihnen wahrscheinlich klar geworden, dass Ruts Geschichte unsere Geschichte ist. Wir sind ebenfalls arm – geistlich gesehen auf jeden Fall; vielleicht auch materiell. Wir tragen Trauerkleidung. Sie hat ihren Mann begraben, wir unsere Träume, Wünsche und Ziele. Genau wie die Mutter, die Lupus hat, oder der arbeitslose Geschäftsmann sehen wir keinen Ausweg mehr. Aber unser Boas hat uns schon bemerkt. Wie dieser Grundbesitzer zu Rut kam, so ist Christus zu uns gekommen „als wir noch Sünder waren" (Römer 5,8). Er hat den ersten Schritt gemacht.

„Wirst du uns schützen?", haben wir ihn gefragt, und dann hat uns die Gnade angelächelt.

Nicht nur Erbarmen, sondern Gnade. Erbarmen sorgte dafür, dass Rut etwas zu Essen bekam. Durch Gnade fand sie einen Mann und ein Zuhause. Erbarmen gab dem verlorenen Sohn eine zweite Chance. Die Gnade schmiss für ihn ein Fest. Erbarmen veranlasste den guten Samariter, die Wunden des Überfallenen zu verbinden. Gnade veranlasste ihn, seine Kreditkarte zu hinterlegen, um für die Pflege des Verwundeten zu zahlen. Erbarmen vergab dem Verbrecher am Kreuz. Gnade begleitete ihn ins Paradies. Erbarmen vergibt uns. Die Gnade umwirbt und heiratet uns.

Lassen Sie mich das noch einmal buchstabieren: Ruts Geschichte zeigt, wie es aussieht, wenn Gnade sich in schwierigen Zeiten zeigt.

Und Jesus wiederum ist *unser* Löser. Er hat Sie schon längst im Weizenfeld ausfindig gemacht, zermürbt vom Schmerz. Und er hat beschlossen, Ihr Herz zu umwerben. Mit einem Sonnenuntergang. Der Freundlichkeit eines Boas. Seiner Fürsorge. Dem Flüstern eines biblischen Textes. Dem Buch Rut. Oder sogar einem Buch von Max. Unbeachtet und an den Rand gedrängt? Vielleicht in den Augen anderer. Vielleicht auch in Ihren eigenen Augen. Aber Gott sieht in Ihnen ein Meisterwerk, das jeden Moment enthüllt werden wird.

Er wird mit Ihnen das tun, was Vik Muniz mit den Müllsammlern von Gramacho tat. *Jardim Gramacho* ist die größte Halde der Welt, ein gigantischer Müllberg. Was in Rio de Janeiro weggeworfen wird, landet in Gramacho.

Und was in Gramacho landet, wird von *Catadores* durchwühlt. Etwa dreitausend Müllsammler kratzen sich ihren

Lebensunterhalt aus dem Abfall zusammen und sammeln täglich zweihundert Tonnen wiederverwertbaren Müll. Sie folgen dem endlosen Konvoi von Lastwagen, schleppen sich die Müllberge hinauf, rutschen auf der anderen Seite wieder hinunter und grabschen dabei nach Plastikflaschen, Schläuchen, Draht und Papier, die sie sortieren und an Großhändler verkaufen, die am Rande des Müllbergs stehen.

Auf der anderen Seite der Bucht streckt die Christusstatue ihre Arme über Rios südliche Viertel und die Millionen Dollar teuren Strandwohnungen aus. Dort scharen sich die Touristen; aber keiner kommt nach Gramacho. Keiner außer Vik Muniz.

Dieser Künstler brasilianischer Herkunft überredete fünf Müllsammler zu Porträtaufnahmen. Suelem, eine achtzehnjährige Mutter mit zwei Kindern, arbeitet seit ihrem siebten Lebensjahr auf den Müllbergen. Isis war früher alkohol- und drogenabhängig. Zumbi liest jedes Buch, das er im Müll findet. Irma kocht in einem großen Topf über dem offenen Feuer weggeworfenes Gemüse und verkauft es. Tiaohas hat die Müllsammler in einer Vereinigung organisiert.

Muniz machte Fotos von ihren Gesichtern und ließ die Aufnahmen auf die Größe eines Basketballplatzes vergrößern. Dann legte er die Gesichter gemeinsam mit den fünf Catadores aus Abfall nach. Aus Flaschendeckeln wurden Augenbrauen. Aus Pappschachteln das Kinn. Gummireifen bildeten Schatten. Aus dem Müll wurden langsam Bilder. Muniz stieg auf ein zehn Meter hohes Podest und fotografierte wieder.

Und das Ergebnis? Es wurde die zweitberühmteste Kunstausstellung in der Geschichte Brasiliens, die nur noch von Picassos Werken übertroffen wurde. Muniz spendete den Erlös der Vereinigung der Müllarbeiter.[2] Man könnte sagen, er ist Gramacho mit Gnade begegnet.

Das tut die Gnade. Das tut *Gott*. Gnade ist, wenn Gott mit einem Blitzen in den Augen in Ihre Welt kommt und Ihnen ein Angebot unterbreitet, dem Sie kaum widerstehen können. „Setz dich einen Augenblick hin. Ich kann aus deinem Chaos Wunderbares tun."

Glauben Sie seinem Versprechen. Vertrauen Sie darauf. Klammern Sie sich wie eine Klette an jede Hoffnung und jede Verheißung. Machen Sie es wie Rut, und unternehmen Sie etwas. Suchen Sie sich Ihr eigenes Kornfeld, und fangen Sie an zu sammeln. Seien Sie nicht länger passiv und verzweifelt. Runter mit den Trauerkleidern. Riskieren Sie etwas; ergreifen Sie die Initiative. Man kann nie wissen, was dann passiert. Vielleicht spielen Sie eine wichtige Rolle dabei, den Menschen vom Erlöser zu erzählen. So wie Rut.

Noch ein letzter Blick auf Boas, Rut und Noomi, die gerade ein Familienfoto mit ihrem neugeborenen Jungen machen. Boas wollte ihn Klein-Bo nennen, aber Rut war für Obed, also heißt er Obed.

Obed bekam einen Sohn namens Jesse, der wiederum der Vater von David wurde, dem zweitberühmtesten König, der in Bethlehem geboren wurde. Und Sie wissen ja, wer der berühmteste war – Jesus. Und jetzt wissen Sie noch mehr über ihn: Er ist Ihr Löser, Ihr Erretter.

Obwohl Ruts Leben von Sorgen durchdrungen war, kam dadurch die Gnade in die Welt.

Und warum sollte Ihr Leben das nicht auch tun können?

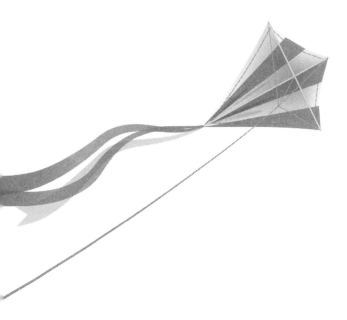

Sieben

Mit Gott ins Reine kommen

*Sie haben Ihren Boas gefunden, wurden freigekauft,
Ihnen wurden die Füße gewaschen und Jesus lebt in Ihnen.
Jetzt können Sie es wagen, ehrlich zu Gott zu sein.*

*Reinigt eure Becher erst einmal von innen,
dann werden sie auch außen sauber sein.*
Matthäus 23,26

Schlechte Taten zu beichten ist der Anfang der guten Werke.
Augustinus

Das Feuer der Sünde brennt heiß, aber es kann mit ein paar wenigen Tränen gelöscht werden, denn eine Träne löscht einen ganzen Brennofen voller Fehler und reinigt die Wunden der Sünde.
Johannes von Antiochia

*Ein Mann, der in der Gegenwart eines Glaubensbruders seine Sünde bekennt, weiß, dass er nicht mehr allein ist damit;
in der Gegenwart des anderen erfährt er die Realität Gottes.*
Dietrich Bonhoeffer

Ich trinke gerne Bier. Das war schon immer so. Ich mag Bier, seit ich gemeinsam mit einem Schulkameraden einen Kasten Bier geleert habe. Ich mag das Gefühl, wenn Bier ein Stück Pizza hinunterspült und den Enchiladas die Schärfe nimmt. Es passt bei einem Baseballspiel hervorragend zu Erdnüssen und ist genau das Richtige, hat man achtzehn Löcher auf dem Golfplatz gespielt. Egal, ob aus dem Fass, aus der Flasche oder aus einem eisgekühlten Bierkrug – ich mag es.

Ich mag es zu sehr. Alkoholprobleme verfolgen meine Familie schon seit Generationen. Ich kann mich noch dunkel daran erinnern, wie ich als Kind mit meinem Vater durch die Flure einer Rehaklinik ging, um seine Schwester zu besuchen. Ähnliche Szenen haben sich über Jahrzehnte mit anderen Verwandten wiederholt. Bier verträgt sich nicht mit der DNA meiner Familie. Also schwor ich dem Alkohol im Alter von 21 Jahren ab.

Ich habe meine Abstinenz nie an die große Glocke gehängt. Den übermäßigen Alkoholkonsum anderer auch nicht. Ich unterscheide zwischen Alkohol trinken und sich betrinken und habe beschlossen, dass bei mir Ersteres zu Letzterem führt, und deshalb ganz aufgehört. Außerdem war ich auf einer Bibelschule (die darauffolgenden beiden Jahre). Dann war ich Pastor (drei Jahre). Danach Missionar (fünf Jahre). Dann wieder Pastor (zweiundzwanzig Jahre bis heute). Ich schrieb christliche Bücher und sprach auf christlichen Veranstaltungen. Ein Geistlicher sollte sich nicht zu eng mit Licher & Co. anfreunden, oder? Also tat ich es nicht.

Aber vor ein paar Jahren ist irgendetwas geschehen, das meine alten Gelüste wiederaufleben ließ. Zu viel Bierwerbung? Zu viele Baseballspiele? Zu viele Freunde, die in eine Episkopalkirche gehen? (War nur Spaß.) Ich weiß es nicht. Wahrscheinlich war es einfach nur Durst. Die Hitze im Süden von Texas kann unerträglich werden. Irgendwann habe ich dann nach einer Bierdose statt nach einer Coladose gegriffen, und es dauerte nur so lange, wie man braucht, um eine Bierdose zu öffnen, und schon war ich wieder Biertrinker. Aber nur ab und zu einmal ... und dann ein Mal pro Woche ... und dann ein Mal am Tag.

Ich behielt meine Vorliebe für mich. Kein Bier zu Hause, damit meine Töchter nicht schlecht von mir denken. Kein Bier in der Öffentlichkeit. Man weiß nie, wer einen dabei sieht. Wenn man nicht zu Hause und nicht in der Öffentlichkeit trinkt, bleibt nur noch eine Möglichkeit: auf dem Parkplatz vor dem Supermarkt. Etwa eine Woche lang war ich einer von denen, die im Auto auf dem Parkplatz aus einer braunen Papiertüte trinken.

Ich weiß zwar nicht, was meine alten Gelüste wiederaufleben ließ, aber ich weiß, was ihnen wieder Einhalt gebot. Auf dem Weg zu einem Vortrag anlässlich einer Männerfreizeit hielt ich unterwegs an, um mir meine tägliche Dosis Bier zu kaufen. Ich kam aus dem Supermarkt, das Bier hatte ich eng an mich gedrückt, und ging hastig zum Wagen, um nicht gesehen zu werden, schloss die Fahrertür auf, stieg ein und öffnete die Dose.

Und dann dämmerte es mir plötzlich. Ich war zu dem geworden, was ich hasste: ein Heuchler. Ein Lügner. Ich hatte zwei Gesichter. Ich tat so als ob, lebte aber ganz anders. Ich hatte Predigten über solche Menschen wie mich geschrieben – über Christen, denen es wichtiger ist, wie sie nach außen dastehen, als aufrichtig zu sein.

Diesmal wurde mir nicht vom Bier schlecht, sondern von meinem Versteckspiel.

Ich wusste, was ich tun musste. Auch darüber hatte ich Predigten geschrieben. „Wenn wir behaupten, sündlos zu sein, betrügen wir uns selbst. Dann ist kein Fünkchen Wahrheit in uns. Wenn wir aber unsere Sünden bekennen, dann erfüllt Gott seine Zusage treu und gerecht: Er wird unsere Sünden vergeben und uns von allem Bösen reinigen" (1. Johannes 1,8–9).

Bekennen. Bei diesem Wort gehen einem alle möglichen Bilder durch den Kopf, die nicht alle positiv sind. Verhöre im Hinterzimmer. Chinesische Wasserfolter. Einem Priester auf der anderen Seite des Vorhangs die eigenen Affären bekennen. In der Kirche nach vorne gehen und eine Karte ausfüllen. Meinte Johannes das damit?

Sünden zu bekennen heißt nicht, dass wir Gott etwas erzählen, was er nicht wüsste. Das ist unmöglich.

Sünden zu bekennen heißt auch nicht jammern. Wenn ich nur meine Probleme aufzähle und meine Nöte aufwärme, dann jammere ich.

Sünden zu bekennen heißt ebefalls nicht, anderen die Schuld geben. Wenn ich mit dem Finger nur auf andere zeige und nicht auf mich selbst, fühlt sich das zwar gut an, führt aber nicht zur Veränderung.

Sünden bekennen ist viel mehr. Sünden bekennen heißt, sich radikal auf die Gnade zu verlassen. Es ist das Bekenntnis, dass wir auf Gottes Güte vertrauen. „Was ich getan habe, war schlecht", gestehen wir, „aber deine Gnade ist größer, deshalb bekenne ich es dir." Wenn wir nur ein schwaches Verständnis von Gnade haben, wird auch unser Bekenntnis nur schwach sein: widerwillig, zögerlich, voller Entschuldigungen und Einwände und voller Angst vor Strafe. Aber wer die Größe der Gnade kennt, bekennt ehrlich.

Wie zum Beispiel der verlorene Sohn, der sagte: „Vater, ich bin schuldig geworden an Gott und an dir. Sieh mich nicht länger als deinen Sohn an, ich bin es nicht mehr wert" (Lukas 15,18–19). Oder das Bekenntnis des Zolleinnehmers, der betet: „Gott, vergib mir, ich weiß, dass ich ein Sünder bin!" (Lukas 18,13).

Das wohl bekannteste Sündenbekenntnis stammt von König David, obwohl er zugegebenermaßen unendlich lange brauchte, bis er es aussprach. Dieser Held des Alten Testaments hatte einen ganzen Lebensabschnitt mit dummen, idiotischen, gottlosen Entscheidungen gelebt.

Dumme Entscheidung Nr. 1: David zog nicht mit seinen Soldaten in den Krieg. Er blieb zu Hause, hatte zu viel Zeit und offenbar nur Frauen im Kopf. Während er auf dem Palastdach spazieren ging, entdeckte er die badende Schönheit Bathseba.

Dumme Entscheidung Nr. 2: David schickte seine Diener los, um Bathseba in seinen Palast und sein Schlafzimmer zu geleiten, wo Rosenblüten auf dem Boden lagen und eisgekühlter Champagner in der Ecke stand. Einige Wochen später erzählte sie ihm, dass sie ein Kind von ihm erwartete. David, der aus seinen falschen Entscheidungen nicht mehr herauskam, machte weiter wie bisher.

Dumme Entscheidung Nr. 3, 4 und 5: David betrog Bathsebas Ehemann, ließ ihn umbringen und tat, als hätte er nichts Böses getan. Das Kind kam auf die Welt, aber David bereute immer noch nichts.

Ja, David. Der Mann nach dem Herzen Gottes ließ zu, dass sein eigenes Herz sich verschloss. Er verdrängte sein Fehlverhalten und bezahlte einen hohen Preis dafür. Später beschrieb er es so: „Erst wollte ich dir, Herr, meine Schuld verheimlichen. Doch davon wurde ich so schwach und elend, dass ich nur noch stöhnen konnte. Tag und Nacht bedrückte mich dein Zorn, meine Lebenskraft vertrocknete wie Wasser in der Sommerhitze" (Psalm 32,3–4).

Die Realität der Sünde trat an die Stelle der Begeisterung für die Sünde. David sah in Bathseba nicht länger ein

Sinnbild der Schönheit, sondern ein Sinnbild seiner eigenen Schwachheit. Ob er sie wohl anschauen konnte, ohne dabei das Gesicht ihres Mannes zu sehen, den er verraten hatte? Vor allem: Konnte er sie anschauen, ohne Gottes Blick auf sich zu spüren?

Er wusste, dass seine verborgene Sünde gar nicht so verborgen war. Schließlich betete er: „Ich flehe dich an: Strafe mich nicht länger! Deine Pfeile haben sich in mich hineingebohrt, deine Hand drückt mich nieder. Weil ich unter deinem Strafgericht leide, habe ich keine heile Stelle mehr am Körper. Weil mich die Sünde anklagt, sind alle meine Glieder krank ... meine Wunden eitern und stinken! ... Gekrümmt und von Leid zermürbt schleppe ich mich in tiefer Trauer durch den Tag" (Psalm 38,2–4.6–7).

Wer sein Fehlverhalten verbirgt, muss mit Schmerz rechnen. So ist das. Schuld, die nicht bekannt wird, ist wie ein Messer in der Seele. Man kann dem Elend, das daraus entsteht, nicht entrinnen.

Fragen sie Li Fuyan. Der Chinese hatte schon alle Behandlungsmethoden ausprobiert, um seine stechenden Kopfschmerzen zu lindern. Nichts hatte geholfen. Bei einer Röntgenaufnahme kam der Übeltäter schließlich zum Vorschein. Seit vier Jahren steckte eine zehn Zentimeter lange, rostige Messerschneide in seinem Kopf. Bei einem bewaffneten Überfall hatte Fuyan eine Schnittwunde am rechten Kiefer davongetragen. Er hatte jedoch nicht gewusst, dass das Messer in seinem Kopf abgebrochen war. Kein Wunder, dass er so *stechende* Kopfschmerzen gehabt hatte. (Das konnte ich mir nicht verkneifen.)[1]

Wir können nicht mit Fremdkörpern in unserem Körper leben.

Und auch nicht in unseren Seelen. Was würde eine Röntgenaufnahme Ihres Inneren zum Vorschein bringen? Eine Beziehung aus Teenagerzeiten, die Sie heute bereuen? Gewissensbisse wegen einer schlechten Entscheidung?

Schämen Sie sich, weil Ihre Ehe nicht funktioniert hat, weil Sie eine schlechte Gewohnheit nicht loswerden, weil Sie einer Versuchung nicht standgehalten haben oder weil Sie feige waren? Unter der Oberfläche liegen die Schuldgefühle begraben und eitern und schwären. Manchmal sitzen sie so tief, dass Sie gar nicht mehr wissen, woher sie eigentlich kommen.

Sie werden launisch und gereizt. Sie überreagieren leicht. Sie sind erregt, nervös. Sie wissen, Sie sind empfindlich, aber das ist ja auch verständlich, denn Ihnen steckt ja eine Messerspitze aus Scham in der Seele.

Wollen Sie sie herausnehmen lassen? Beichten Sie. Lassen Sie ein geistliches MRT machen. „Durchforsche mich, o Gott, und sieh mir ins Herz, prüfe meine Gedanken und Gefühle! Sieh, ob ich in Gefahr bin, dir untreu zu werden, dann hol mich zurück auf den Weg, der zum ewigen Leben führt!" (Psalm 139,23–24). Wenn Gott Ihnen Ihr Fehlverhalten vor Augen führt, bitten Sie um Vergebung. Lassen Sie ihn Ihre Wunden mit seiner Gnade behandeln.

Unternehmen Sie diese Reise in Ihr Innerstes nicht ohne Gott. Es gibt viele Stimmen, die Sie dazu auffordern, tief in sich hineinzuschauen, um dort eine unsichtbare Kraft und verborgene Stärke zu entdecken. Das ist eine gefährliche Sache. Selbstprüfung ohne Gottes Hilfe führt oftmals zum Leugnen oder zur Scham. Entweder wir rechtfertigen unser Fehlverhalten mit tausend Ausreden, oder wir bauen uns unsere eigene Folterkammer, in der wir dann leben. Rechtfertigung oder Demütigung – keines von beidem können wir gebrauchen.

Was wir brauchen, ist ein Gebet, in dem wir auf Gottes Gnade bauen und unsere Schuld bekennen, so wie David es getan hat. Nachdem er ein Jahr lang alles geleugnet und vertuscht hatte, betete er schließlich: „Du großer, barmherziger Gott, sei mir gnädig, hab Erbarmen mit mir! Lösche meine Vergehen aus! Meine schwere Schuld –

wasche sie ab, und reinige mich von meiner Sünde! Denn ich erkenne mein Unrecht, meine Schuld steht mir ständig vor Augen. Gegen dich habe ich gesündigt – gegen dich allein! Was du als böse ansiehst, das habe ich getan. Darum bist du im Recht, wenn du mich verurteilst, dein Urteil wird sich als wahr erweisen" (Psalm 51,3–6).

David hisste die weiße Flagge. Schluss mit dem Kampf. Ende der Diskussionen mit dem Himmel. Er kam mit Gott ins Reine. Und Sie? Vielleicht könnte es bei Ihnen folgendermaßen aussehen:

Es ist spätabends. Zeit, ins Bett zu gehen. Das Kopfkissen ruft. Aber auch Ihr schlechtes Gewissen. Heute gab es eine hässliche Auseinandersetzung mit einem Kollegen. Ein heftiger Wortwechsel. Anschuldigungen. Man geht auf Abstand zum anderen. Beleidigungen fallen. Schäbiges, sehr schäbiges Verhalten. Und schuld daran sind zum Teil, wenn nicht sogar zum größten Teil, Sie.

Ihr altes Ich würde diese Gedanken jetzt verdrängen und sie in einen ohnehin schon mit ungelösten Konflikten überfüllten Keller stopfen. Sie würden das verrottete Holz mit Kitt zuschmieren. Dann würde der Streit Verbitterung in Ihnen erzeugen und auch andere Beziehungen vergiften. Aber Sie haben Ihr altes Ich abgelegt. Sie sind der Gnade begegnet, wie die Morgensonne, die über einer Winterwiese aufgeht, die Schatten vertreibt und den Frost auftaut. Wärme breitet sich aus. Gott wirft Ihnen keine finsteren Blicke zu. Das dachten Sie früher einmal. In Ihrer Fantasie hat Gott immer die Arme verschränkt und Sie wütend und genervt angeschaut. Aber jetzt wissen Sie es besser. Sie haben Ihren Boas gefunden, wurden freigekauft, Ihnen wurden die Füße gewaschen, und Jesus lebt in Ihnen. Jetzt können Sie es wagen, ehrlich zu Gott zu sein.

Sagen Sie Ihrem Kissen, dass es noch warten muss, und kommen Sie in Gottes Gegenwart. „Können wir noch mal über die Auseinandersetzung von heute reden? Es tut mir leid, dass ich so reagiert habe. Ich war harsch, habe meinen Gesprächspartner verurteilt und war ungeduldig mit ihm. Du hast mir so viel Gnade geschenkt, und ich habe so wenig davon weitergegeben. Bitte vergib mir."

Na, fühlt sich das nicht viel besser an? Dazu muss man sich nicht an einen besonderen Ort begeben. Man muss kein besonderes Kirchlied singen oder Kerzen anzünden. Man muss nur ein Gebet sprechen. Das Gebet wird wahrscheinlich zu einer Entschuldigung führen, und die Entschuldigung wird eine Freundschaft vor dem Zerbrechen bewahren und ein Herz schützen. Vielleicht hängen Sie sich sogar ein Schild an die Bürotür, auf dem steht: „Hier begegnet dir die Gnade."

Oder vielleicht muss Ihr Gebet auch noch tiefer gehen. Unter der Oberfläche brodeln neben den Taten von heute noch ungeklärte Fehler aus der Vergangenheit. Wie König David haben Sie vielleicht eine falsche Entscheidung nach der anderen getroffen. Sie sind dageblieben, als Sie hätten gehen sollen, haben hingesehen, als Sie sich hätten abwenden sollen, haben verführt, als Sie sich hätten zurückhalten sollen, haben jemanden verletzt, als Sie hätten helfen sollen, und geleugnet, als Sie hätten gestehen sollen.

Sprechen Sie mit Gott über diese unsichtbaren Messerklingen. Gehen Sie zu ihm, so wie Sie zu einem Arzt Ihres Vertrauens gehen würden. Sagen Sie ihm, wo es schmerzt, und betrachten Sie die Sünde noch einmal gemeinsam mit ihm. Lassen Sie seinen prüfenden Blick und seine heilende Berührung zu. Und das Wichtigste ist: Vertrauen Sie mehr auf seine Bereitwilligkeit, Ihr Geständnis anzunehmen, als auf Ihre Fähigkeit, es abzulegen. Damit meine ich diesen nicht zu bändigenden Perfektionisten in uns mit seinen nagenden Zweifeln: „War mein Geständnis wirklich ernst gemeint? Reicht es? Habe ich irgendeine Sünde vergessen?"

Natürlich haben Sie das. Wer von uns ist sich schon all seiner Fehler bewusst? Wer bereut sein Versagen schon genug? Wenn die reinigende Wirkung eines Geständnisses von dem abhinge, der es ablegt, wären wir alle verloren, denn keiner von uns hat ein umfassendes Geständnis abgelegt. Die Macht des Sündenbekenntnisses hängt nicht von dem ab, der es ablegt, sondern von dem Gott, der es erhört.

Vielleicht sagt Gott Ihnen ja, Sie sollen mit der Gemeinde darüber sprechen. „Bekennt einander eure Sünden und betet füreinander, damit ihr geheilt werdet" (Jakobus 5,16). Jakobus fordert uns nicht nur auf, Gott unsere Sünden zu bekennen, sondern auch einander.

Ich habe das getan. Sie fragen sich wahrscheinlich, was aus meiner Heuchelei geworden ist. Zuerst einmal habe ich die Bierdose in den nächsten Mülleimer geworfen. Dann habe ich lange im Auto gesessen und gebetet. Danach habe ich einen Termin mit unseren Gemeindeältesten vereinbart. Ich habe mein Handeln nicht beschönigt oder verharmlost. Ich habe es einfach gestanden. Und sie haben mir im Gegenzug Vergebung zugesprochen. Jim Potts, ein liebenswerter, weißhaariger Glaubensbruder, streckte den Arm über den Tisch, legte mir die Hand auf die Schulter und sagte so in etwa: „Was du getan hast, war falsch. Aber was du heute Abend getan hast, war richtig. Gottes Liebe ist groß genug, um deine Sünde zuzudecken. Vertrau seiner Gnade." Das war alles. Keine Diskussion. Kein Aufstand. Einfach nur Heilung.

Nachdem ich mit den Ältesten gesprochen hatte, habe ich es auch der Gemeinde gestanden. Ich erzählte die Geschichte noch einmal. Ich entschuldigte mich dafür, dass ich ein Doppelleben geführt hatte, und bat die Gemeinde, für mich zu beten. Daraufhin gestanden auch noch andere ihre Sünden, und wir hatten eine sehr erfrischende Zeit zusammen. Die Gemeinde wurde durch unsere Aufrichtigkeit gestärkt, nicht geschwächt. Ich musste an die Gemeinde in Ephesus denken, von der es heißt: „Zahlreiche Christen bekannten jetzt offen, was sie früher getan hatten" (Apostelgeschichte 19,18). Und die Folge? „So erwies die Botschaft des Herrn ihre Macht, und immer mehr Menschen glaubten daran" (Vers 20).

Aufrichtigkeit wirkt anziehend auf Menschen.

Suchen Sie sich eine Gemeinde, die das Sündenbekenntnis praktiziert. Meiden Sie Gemeinden, in die nur perfekte Menschen gehen (da passen Sie nämlich nicht dazu), sondern suchen Sie sich eine, in der die Mitglieder ihre Fehler zugeben und wissen, dass sie alles andere als perfekt sind, und wo der Preis für ein Sündenbekenntnis einfach nur das Eingeständnis der eigenen Schuld ist. In solchen Gemeinden geschieht Heilung.

Diejenigen, die zu Jesus Christus gehören, haben die Autorität, Bekenntnisse anzuhören und Gnade zu verkünden. „Wem ihr die Sünde erlasst, dem ist sie erlassen. Und wem ihr die Schuld nicht vergebt, der bleibt schuldig" (Johannes 20,23). Wer bekennt, kommt in den Genuss einer Freiheit, die denen, die leugnen, versagt bleibt.

„Wenn wir behaupten, sündlos zu sein, betrügen wir uns selbst. Dann ist kein Fünkchen Wahrheit in uns. Wenn wir aber unsere Sünden bekennen, dann erfüllt Gott seine Zusage treu und gerecht: Er wird unsere Sünden vergeben und uns von allem Bösen reinigen" (1. Johannes 1,8–9).

Oh, wie schön ist die Gewissheit, die diese Worte uns schenken. „Er *wird* uns reinigen." Nicht *vielleicht*, *wahrscheinlich*, *könnte* oder *meistens*. Er *wird* Sie reinigen. Sagen Sie Gott, was Sie getan haben. Nicht, dass er es nicht schon wüsste, aber Sie müssen mit Gott darüber einig werden. Nehmen Sie sich so viel Zeit, wie Sie brauchen. Erzählen Sie ihm alle Einzelheiten, die Ihnen einfallen. Und dann lassen Sie das reine Wasser seiner Gnade über Ihre Fehler fließen.

Und dann feiern wir das Ganze mit einem guten Bier (aber nur mit einem Malzbier).

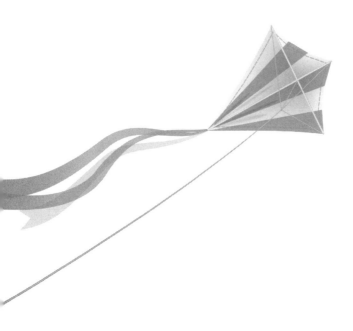

Acht

Stoßen Sie die Angst von ihrem Thron

„Gnade" ist nur ein anderes Wort für seinen überfließenden, überschäumenden Vorrat an Stärke und Schutz. Er gibt sie nicht gelegentlich oder knauserig, sondern unablässig und freigebig, eine Woge nach der anderen.

Meine Gnade ist alles, was du brauchst! Denn gerade wenn du schwach bist, wirkt meine Kraft ganz besonders an dir.
2. Korinther 12,9

Der Herr ist dir gnädig, wenn du um Hilfe schreist; er wird dir antworten, sobald er dich hört.
Jesaja 30,19 (EÜ)

[Gottes] Dornen sind immer von Gnade begleitet. Denn mit dem Dorn steckt er den Vorhang zur Seite, der sein Gesicht verbirgt.
Martha Snell Nicholson

Als Heather Sample die Schnittwunde an der Hand ihres Vaters entdeckte, ahnte sie nichts Gutes. Die beiden hatten sich hingesetzt, um zwischen zwei Operationen schnell etwas zu Mittag zu essen. Heather sah die Wunde und sprach ihn darauf an. Als Kyle ihr erklärte, den Schnitt habe er sich während einer Operation zugezogen, überkam sie eine Welle der Übelkeit.

Beide waren Ärzte. Beide kannten das Risiko. Beide wussten, dass es gefährlich war, in Simbabwe Aidspatienten zu behandeln. Und jetzt waren ihre Befürchtungen Wirklichkeit geworden.

Kyle hatte schon seit zwölf Jahren solche medizinischen Einsätze mitgemacht. Ich hatte ihn während meiner Collegezeit kennengelernt. Er heiratete eine tolle Frau namens Bernita und ließ sich in einer kleinen Stadt in Texas nieder, um eine Familie zu gründen und Arme zu behandeln. Und dann bekam er eine Familie, die die Armen behandelt. Zehn Kinder haben die beiden. Alle arbeiten für wohltätige Zwecke. Als Begründer und Vorsitzender der Organisation *Physicians Aiding Physicians Abroad* (Ärzte helfen Ärzten im Ausland) arbeitete Kyle jedes Jahr mehrere Wochen in Missionskrankenhäusern in Entwicklungsländern. Er war nicht zum ersten Mal in Simbabwe.

Aber er war zum ersten Mal mit dem HI-Virus in Berührung gekommen.

Heather drängte ihren Vater, sofort mit der antiretroviralen Therapie anzufangen, um eine HIV-Infektion zu verhindern. Kyle zögerte. Er kannte die Nebenwirkungen. Beides war lebensbedrohlich – die Krankheit und die Behandlung. Aber Heather bestand darauf, und er willigte ein. Innerhalb weniger Stunden war er schwer krank.

Übelkeit, Fieber und Schwäche waren nur die ersten Anzeichen dafür, dass etwas nicht stimmte. Die nächsten zehn Tage ging es Kyle immer schlechter. Und dann bekam er das Stevens-Johnson-Syndrom, eine heftige arzneimittelallergische Hauterkrankung, die tödlich verlaufen kann. Sie verlegten ihren Rückflug vor, denn sie waren sich nicht sicher, ob Kyle die vierzigstündige Reise mit einem zwölfstündigen Aufenthalt in Südafrika und einem vierzehnstündigen Flug nach Atlanta überstehen würde.

Als Kyle an Bord des Transatlantikfluges ging, hatte er 40,3 Grad Fieber und Schüttelfrost. Inzwischen bereitete ihm das Atmen Mühe, und er konnte nicht mehr aufrecht sitzen. Er war nicht mehr klar, hatte gelbliche Augen und eine vergrößerte, schmerzempfindliche Leber. Die beiden Ärzte erkannten die Gefahr eines Leberversagens. Heather spürte die Verantwortung für das Leben ihres Vaters auf ihren Schultern.

Heather erklärte den Piloten die Lage und überredete sie, dass ein schneller Rückflug in die Staaten die einzige Hoffnung für ihren Vater war. Nur mit einem Stethoskop und einer Dosis Epinephrin bewaffnet, setzte sie sich neben ihn und fragte sich, wie sie ihn in den Mittelgang schaffen sollte, falls sein Herz versagte und sie ihn wiederbeleben musste.

Einige Minuten nach dem Start schlief Kyle ein. Heather kletterte über ihn und schaffte es gerade noch rechtzeitig auf die Toilette, um das Wasser, das sie getrunken hatte, wieder zu erbrechen. Sie rollte sich auf dem Boden zusammen, weinte und betete: *Ich brauche Hilfe.*

Heather wusste nicht, wie lange sie so gebetet hatte, aber wohl lange genug, dass ein besorgter Passagier an die Tür klopfte. Sie öffnete und sah vier Männer im Gang stehen. Einer fragte, ob alles in Ordnung sei. Heather versicherte ihm, dass es ihr gut ging, und sagte, sie sei Ärztin. Sein Gesicht leuchtete auf, als er ihr erklärte, dass er und seine drei Freunde auch Ärzte seien. „Und sechsundneunzig weitere Passagiere ebenfalls!", sagte er. An Bord befanden sich einhundert Ärzte aus Mexiko.

Heather erklärte ihnen, was los war, und bat sie, ihr zu helfen und zu beten. Sie taten beides. Sie informierten auch einen ihrer Kollegen, der ein namhafter Virologe war. Gemeinsam untersuchten sie Kyle und waren sich einig, dass man im Moment nichts für ihn tun konnte.

Sie boten ihr an, ihn zu beobachten, damit sie sich ausruhen konnte. Was sie tat. Als sie wieder aufwachte, stand Kyle da und unterhielt sich mit einem der Ärzte. Er gehörte zwar immer noch auf die Intensivstation, war aber schon bedeutend kräftiger. Heather erkannte, dass hier Gott am Werk war. Er hatte dafür gesorgt, dass sie genau im richtigen Flugzeug gelandet waren, in dem genau die richtigen Menschen mitreisten. Gott war ihrer Not mit seiner Gnade begegnet.

Er wird auch Ihrer Not begegnen. Vielleicht haben Sie einen schweren Weg vor sich. Vielleicht geht es Ihnen wie Heather, und Sie müssen mit ansehen, wie ein Mensch, der Ihnen viel bedeutet, ums Überleben kämpft. Oder es geht Ihnen wie Dr. Kyle Sheets, und Sie spüren, wie Krankheit und Tod in Ihrem Körper wüten. Sie haben vielleicht Angst und sind schwach, aber Sie sind nicht allein. Die folgenden Worte aus dem bekannten Lied „Amazing Grace" wurden für Sie geschrieben. Obwohl dieses Lied aus dem Jahr 1773 stammt, verbreitet es noch heute Hoffnung wie die aufgehende Sonne nach einer finstern Nacht. „Durch Schwierigkeiten mancher Art wurd' ich ja schon geführt, doch hat die Gnade mich bewahrt, die Ehre Gott gebührt."[1] Sie haben Gottes Geist in sich. Die himmlischen Heerscharen sind über Ihnen. Jesus Christus betet für Sie. Und Gottes Gnade stützt Sie – und diese ist alles, was Sie brauchen.

Das Leben des Apostels Paulus unterstreicht diese Wahrheit. Er schrieb: „Doch damit ich nicht überheblich werde, wurde mir ein Dorn ins Fleisch gegeben, ein Bote des Satans, der mich quält und mich daran hindert, überheblich zu werden. Dreimal habe ich zum Herrn gebetet, dass er mich davon befreie. Jedes Mal sagte er: ‚Meine Gnade ist alles, was du brauchst. Meine Kraft zeigt sich in deiner Schwäche'" (2. Korinther 12,7–9; NLB).

Ein Dorn im Fleisch. Was für eine anschauliche Beschreibung. Das spitze Ende eines Dorns sticht in die zarte Haut unseres Lebens und steckt unter der Oberfläche fest. Bei jeder Bewegung werden wir an diesen Dorn erinnert.

Das Krebsgeschwür im Körper.
Die Sorgen im Herzen.
Das Kind in der Reha.
Die roten Zahlen auf dem Kontoauszug.
Die Straftat im polizeilichen Führungszeugnis.
Das Verlangen nach Whiskey am helllichten Tag.
Die Tränen mitten in der Nacht.
Der Dorn im Fleisch.

„Nimm ihn weg", haben Sie gefleht. Nicht nur einmal, zweimal oder dreimal. Sie haben noch häufiger gebetet als Paulus. Sein Gebet war ein Einhundert-Meter-Sprint verglichen mit Ihrem Marathon. Nach dreißig Kilometern können Sie nicht mehr. Die Wunde schmerzt, und nirgends ist auch nur das kleinste Anzeichen einer himmlischen Pinzette zu erkennen. Stattdessen hören Sie: „Meine Gnade ist alles, was du brauchst."

Hier nimmt die Gnade eine ganz neue Dimension an. Paulus spricht von Gnade, die uns trägt. Rettende Gnade errettet uns von unseren Sünden. Gnade, die uns trägt, begegnet uns in unserer Not und gibt uns Mut, Weisheit und Stärke. Sie überrascht uns während unseres persönlichen Transatlantikflugs und schenkt uns reichlich neuen Glauben. Gnade, die trägt, verspricht nicht, dass es keine Schwierigkeiten gibt, aber sie verspricht uns, dass Gott bei uns ist.

Und Paulus sagt, dass Gott genügend tragfähige Gnade hat, um uns bei jeder Herausforderung zu helfen, der wir begegnen. Genügend. Wir haben Angst vor dem Gegenteil: ungenügend. Wir haben Schecks ausgestellt und dann die Worte „ungenügende Kapitaldeckung" auf dem Kontoauszug gelesen. Werden wir bei unseren Gebeten auch ungenügende Kraft finden? Niemals.

Tauchen Sie einen Schwamm ins Meer. Können Sie damit jeden Tropfen aufsaugen? Holen Sie tief Luft. Haben Sie allen Sauerstoff aus der Atmosphäre gesaugt? Zupfen Sie ein Blatt von einem Baum. Hat der Wald jetzt kein Laub mehr? Beobachten Sie, wie eine Meereswoge sich am Ufer bricht. Wird es danach keine mehr geben?

Natürlich nicht. Sobald eine Welle am Strand ausläuft, taucht schon die nächste auf. Und die nächste und die nächste. Das ist ein Bild für Gottes ausreichende Gnade. Gnade ist nur ein anderes Wort für seinen überfließenden, überschäumenden Vorrat an Stärke und Schutz. Er gibt sie nicht gelegentlich oder knauserig, sondern ständig und freigebig, eine Woge nach der anderen. Kaum haben wir nach dem ersten Brecher unser Gleichgewicht wiedergefunden, da trifft uns schon die nächste Woge.

„Gnade über Gnade" (Johannes 1,16; EÜ). Wir wagen es, unsere Hoffnung auf die beste aller Nachrichten zu setzen: Wenn Gott die Herausforderung zulässt, wird er uns auch die Gnade schenken, sie durchzustehen. Sein Vorrat ist unerschöpflich. „Hör auf, ständig um Gnade zu bitten! Mein Vorrat geht zur Neige." Diese Worte kennt der Himmel nicht. Gott hat genug Gnade, um jedem Problem, dem Sie sich gegenübersehen, zu begegnen, um jede Ihrer Tränen abzuwischen und jede Ihrer Fragen zu beantworten.

Könnten wir von Gott je weniger erwarten? Sollte er seinen Sohn schicken, um für uns zu sterben, aber nicht seine Kraft, um uns hindurchzutragen? Für Paulus war das undenkbar. „Gott hat seinen eigenen Sohn nicht verschont, sondern ihn für uns alle dem Tod ausgeliefert. Sollte er uns da noch etwas vorenthalten?" (Römer 8,32).

„Bringen Sie alle Ihre Sorgen nach Golgatha", drängt Paulus. Stellen Sie sich in den Schatten des gekreuzigten Gottessohnes. Und jetzt stellen Sie Ihre Frage: „Ist Jesus auf meiner Seite?" Schauen Sie auf die Wunde an seiner Seite. „Wird er bei mir bleiben?" Nachdem er uns das größte und kostbarste Geschenk gemacht hat, „sollte er uns da noch etwas vorenthalten"?

„Durch Schwierigkeiten mancher Art wurd' ich ja schon geführt, doch hat die Gnade mich bewahrt, die Ehre Gott gebührt." Als John Newton diese Zeilen schrieb, tat er das aus persönlicher Erfahrung heraus. Seine schwierigste Prüfung war der Tag, an dem er seine Frau Mary begrub. Er hatte sie sehr geliebt und gebetet, er möge vor ihr sterben. Aber sein Gebet wurde nicht erhört.

Und doch erwies sich Gottes Gnade als ausreichend. An dem Tag, als sie starb, fand Newton die Kraft, eine Sonntagspredigt zu halten. Am Tag darauf besuchte er Gemeindemitglieder und leitete dann die Beerdigung seiner Frau. Er trauerte, aber in seiner Trauer entdeckte er Gottes Fürsorge. Später schrieb er: „Die Bank von England ist viel zu arm, um einen Verlust wie den meinen wiedergutzumachen. Aber der Herr, der all-genügende Gott, spricht, und es wird Wirklichkeit. Wer ihn kennt und ihm vertraut, fasse neuen Mut. Er kann uns jeden Tag die nötige Kraft schenken. Er kann uns stark machen, wenn die Belastungen größer werden ... und was er tun kann, das hat er auch versprochen zu tun."[2]

Lassen Sie Ihre Ängste von Gottes Gnade von ihrem Thron stoßen. Zweifellos werden Sie weiterhin noch Sorgen haben. Die Erderwärmung steigt weiterhin; es gibt immer noch Kriege; die Wirtschaft spielt verrückt. Krankheit, Unglück und Probleme bevölkern diese Erde. Aber sie kontrollieren Sie nicht! Das tut die Gnade. Gott hat Ihr persönliches Flugzeug mit einem Heer von Engeln umgeben, um Ihren Nöten im richtigen Moment auf seine Art zu begegnen.

Mein Freund Kyle erholte sich wieder von seiner allergischen Reaktion, und Untersuchungen ergaben, dass er sich nicht mit dem HI-Virus angesteckt hatte. Er und Heather nahmen ihre Arbeit wieder auf und waren sich nun noch stärker bewusst, dass sie unter Gottes Schutz standen. Als ich Kyle nach diesem Erlebnis fragte, fiel ihm ein, dass er bisher dreimal auf einem Flug erlebt hatte, dass ein Flugbegleiter sich erkundigt hatte: „Ist ein Arzt an Bord?" Jedes Mal war Kyle der Einzige gewesen.

„Als Heather mich im Rollstuhl an Bord schob, fragte ich mich, ob wohl irgendjemand da sein würde, der uns helfen konnte." Aber schon bald musste er feststellen, dass Gott sein Gebet buchstäblich hundertfach erhört hatte.

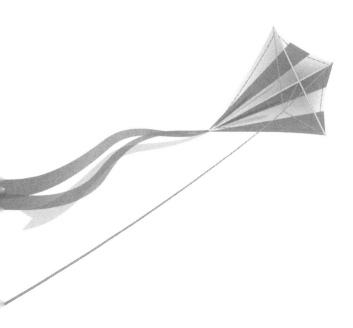

Neun
Auf Wiedersehen, Geiz

Wo Gnade ist, ist Großzügigkeit.
Unstillbare, unfassbare Großherzigkeit.

Er wird euch dafür alles schenken, was ihr braucht, ja mehr als das. So werdet ihr nicht nur selbst genug haben, sondern auch noch anderen von eurem Überfluss weitergeben können.
2. Korinther 9,8

Gnade muss in einem Leben ihren Ausdruck finden, sonst ist es keine Gnade.
Karl Barth

In Wirklichkeit kann [der Mensch] *nichts Gutes tun, ohne durch den Glauben die Gnade empfangen zu haben.*
Augustinus

Amy Wells wusste, dass es in ihrem Brautmodenladen heiß hergehen würde. Die angehenden Bräute nutzten die freien Tage unmittelbar nach Thanksgiving gerne für Hochzeitsvorbereitungen. Es war üblich, dass ein ganzer Pulk von Angehörigen fast einen ganzen Urlaubstag damit verbrachte, sich in ihrem Laden im texanischen San Antonio Brautkleider anzusehen. Amy war bereit, die Einkäufer zu bedienen. Aber sie hatte nicht damit gerechnet, einem sterbenden Mann eine letzte Gnade zu erweisen.

Am anderen Ende der Stadt lag Jack Autry im Krankenhaus und kämpfte um sein Leben. Er hatte Hautkrebs im Endstadium. Zwei Tage zuvor war er zusammengebrochen und in die Notaufnahme gebracht worden. Seine ganze Verwandtschaft war in der Stadt, und zwar nicht nur, um Thanksgiving zusammen zu feiern, sondern auch, um die Hochzeit seiner Tochter vorzubereiten. Chrysalis sollte in wenigen Monaten heiraten. Die Frauen hatten geplant, an diesem Tag ein Hochzeitskleid zu kaufen. Aber als Jack nun im Krankenhaus lag, wollte Chrysalis nicht gehen.

Jack bestand jedoch darauf. Nach viel Überredung gingen Chysalis, ihre Mutter, ihre zukünftige Schwiegermutter und ihre Schwestern schließlich in den Brautmodenladen. Die Ladenbesitzerin merkte, dass unter den Frauen etwas gedrückte Stimmung herrschte, nahm aber an, dass es sich einfach um eine stille Familie handelte. Sie half Chrysalis, ein Kleid nach dem anderen anzuprobieren, bis sie schließlich ein elfenbeinfarbenes Kleid aus Seide fanden, das allen gefiel. Jack nannte Chrysalis immer stolz seine Prinzessin, und dieses Kleid, so meinte Chrysalis, ließ sie tatsächlich aussehen, als sei sie eine.

Da erfuhr Amy von Jack. Weil er Krebs hatte, konnte er seine Tochter jetzt nicht in ihrem Hochzeitskleid sehen. Und wegen der hohen Arztkosten konnte die Familie sich das Kleid noch nicht leisten. Es schien ganz so, als müsse Jack Autry sterben, ohne seine Tochter als Braut zu sehen.

Davon wollte Amy nichts wissen. Sie sagte Chrysalis, sie solle das Kleid und den Schleier anziehen und damit ins Krankenhaus zu ihrem Vater fahren. Sie erzählt: „Ich wusste, dass alles in Ordnung war. Ich hatte nicht den geringsten Zweifel, als ich das tat. Gott hatte zu mir gesprochen." Sie verlangte keine Kreditkarte als Sicherheit. Amy notierte sich nicht einmal die Telefonnummer. Sie drängte die Familie, sofort ins Krankenhaus zu fahren. Das musste sie Chrysalis nicht zweimal sagen.

Als die Angehörigen das Zimmer ihres Vaters betraten, schlief er, weil man ihm starke Medikamente gegeben hatte. Sie weckten ihn, und dann ging langsam die Tür auf, und er sah seine Tochter, die mehrere Schichten von fünfzehn Metern wogender Seide trug. Er war etwa zwanzig Sekunden lang bei Bewusstsein.

„Aber diese zwanzig Sekunden waren ein magischer Moment", erinnert sich Chrysalis. „Mein Vater sah, wie ich in diesem unglaublichen Kleid hereinkam. Er war sehr schwach. Er lächelte und betrachtete mich einfach nur. Ich hielt seine Hand und er hielt meine. Ich fragte ihn, ob ich wie eine Prinzessin aussähe ... Er nickte. Er sah mich noch ein wenig an, und es hatte fast den Anschein, als würde er gleich weinen. Und dann schlief er wieder ein."

Drei Tage später starb er.[1]

Amys Großzügigkeit löste eine Kettenreaktion von Gnade aus. Von Gott zu Amy zu Chrysalis zu Jack.

Funktioniert es nicht genau so?

Handelt Gott nicht genau so? Er setzt einen Prozess in Gang. Er liebt uns nicht nur, er überschüttet uns regelrecht mit seiner Liebe (1. Johannes 3,1). Er verteilt nicht nur ein bisschen Weisheit, „er gibt allen gern und macht niemand einen Vorwurf" (Jakobus 1,5; EÜ). Er hat eine „unendlich reiche Güte, Geduld und Treue" (Römer 2,4). Seine Gnade ist „übergroß" (1. Timotheus 1,14; EÜ), „überschwänglich" und unaussprechlich (2. Korinther 9,14–15; SLT).

Er über-füllte den Tisch des verlorenen Sohnes mit einem Festmahl, die Wasserkrüge auf der Hochzeit mit Wein und das Boot von Petrus mit Fischen, zweimal sogar. Er heilte alle, die sich nach Gesundheit sehnten, lehrte alle, die Wegweisung suchten, und rettete alle, die das Geschenk der Rettung annahmen.

Gott schenkt „dem Sämann Saat und Brot" (2. Korinther 9,10). Die Herkunft des griechischen Wortes, das hier für „schenken" steht (*epichoregeo*), veranschaulicht das Wesen von Gottes Großzügigkeit. Es verbindet die beiden Worte „Tanz" (*choros*) und „anführen" (*hegeomai*).[2] Wörtlich bedeutet es also „einen Tanz anführen". Wenn Gott gibt, führt er einen Freudentanz auf. Er stimmt die Melodie an und führt die Polonaise an. Er liebt es zu geben.

Er verspricht uns sogar eine übergroße Belohnung für unseren Einsatz. Petrus fragte Jesus einmal: „Aber wie ist es nun mit uns? Wir haben doch alles aufgegeben und sind mit dir gegangen. Was bekommen wir dafür?" (Matthäus 19,27). Das wäre doch eine wunderbare Gelegenheit für Jesus, Petrus für seine „Und-was-hab-ich-davon"-Mentalität zurechtzuweisen. Aber das tat er nicht. Stattdessen versicherte er Petrus und allen anderen Jüngern, dass wir „dies alles hundertfach zurückerhalten und das ewige Leben empfangen" (Vers 29). Jesus versprach ihnen einen Zinssatz von 10.000 Prozent! Wenn ich Ihnen heute zehntausend Dollar gäbe für jeden Einhundert-Dollar-Schein, den Sie mir gestern gegeben haben, würden Sie von mir wahrscheinlich das Gleiche sagen, was die Bibel über Gott sagt: Er ist großzügig.

Er verteilt seinen Segen nicht mit der Pipette, sondern mit dem Löschschlauch. Ihr Herz ist ein Plastikbecher, und Gottes Gnade ist das Mittelmeer. Sie können sie einfach nicht fassen. Also lassen Sie sie überfließen. Überlaufen. Überströmen. „Umsonst habt ihr empfangen, umsonst sollt ihr geben" (Matthäus 10,8; EÜ).

Wo Gnade ist, ist Großzügigkeit. Unstillbare, unfassbare Großherzigkeit.

So ist es Zachäus ergangen. Wenn es im Neuen Testament einen Abzocker gibt, dann ist er es.

Es gab niemanden, den er nicht betrog, und keinen Dollar, dem er nicht nacheilte. Er war „der oberste Zolleinnehmer" (Lukas 19,2). Die Zolleinnehmer, die zur Zeit Jesu „Dienst taten", nahmen alles aus, was zwei Beine hatte. Die römischen Behörden erlaubten ihnen, alles zu behalten, was sie eintreiben konnten. Und Zachäus trieb eine Menge ein. Er war ein „sehr reicher Mann" (Vers 2). Reich genug, um sich einen teuren Sportwagen, Krokodilleder-Schuhe, maßgeschneiderte Anzüge und manikürte Fingernägel zu leisten. Widerlich reich.

Auch schuldbewusst reich? Er wäre nicht der erste Gauner, der ein schlechtes Gewissen hatte. Und er wäre auch nicht der Erste, der sich fragte, ob Jesus ihm wohl sein schlechtes Gewissen erleichtern konnte. Vielleicht kletterte er deshalb auf den Baum. Als Jesus durch Jericho kam, lief die halbe Stadt zusammen, um ihn zu sehen. Zachäus war einer von ihnen. Die Einwohner von Jericho dachten ja nicht daran, dem kurz gewachsenen, verhassten Zachäus zu erlauben, sich durch die Menge nach vorne zu drängen. Er konnte sich nur hinter einer Menschenwand auf die Zehenspitzen stellen und hoffen, einen Blick auf Jesus zu erhaschen.

Da entdeckte er den Maulbeerbaum, kletterte hinauf und kroch auf einen der äußeren Äste, um einen guten

Blick auf Jesus zu haben. Er hätte niemals gedacht, dass Jesus auch einen guten Blick auf ihn haben wollte. Aber genau das tat er. „Zachäus, komm schnell herab! ... Ich möchte heute dein Gast sein!" (Vers 5).

Der laufende Meter von einem Dieb sah nach links und nach rechts, ob da nicht noch ein anderer Zachäus im Baum saß. Aber offenbar meinte Jesus tatsächlich ihn. Ihn! Von allen Häusern der Stadt hatte Jesus ausgerechnet seines ausgesucht. Erbaut mit ergaunertem Geld, von Nachbarn gemieden, aber an jenem Tag geehrt durch die Anwesenheit Jesu.

Von da an war Zachäus ein anderer Mensch. „Herr, ich werde die Hälfte meines Vermögens an die Armen verteilen, und wem ich am Zoll zu viel abgenommen habe, dem gebe ich es vierfach zurück" (Vers 8).

Als die Gnade zur Haustür hereinkam, huschte der Egoismus zur Hintertür hinaus. Zachäus war verändert.

Verändert die Gnade auch Sie?

Manche Menschen widersetzen sich der Veränderung. Zum Beispiel der undankbare Knecht. In dieser Geschichte, die Jesus erzählte, schuldete der Knecht dem König mehr Geld, als er diesem jemals würde zurückzahlen können. Sosehr er es auch versuchte, der Mann konnte nicht zahlen. Eher würde es Frösche regnen, als dass er das Geld hätte, um seine Schulden zu bezahlen. „Deshalb wollte der König ihn, seine Frau, seine Kinder und seinen gesamten Besitz verkaufen lassen, um wenigstens einen Teil seines Geldes zu bekommen. Doch der Mann fiel vor dem König nieder und flehte ihn an: ‚Herr, hab noch etwas Geduld! Ich will ja alles bezahlen.' Da hatte der König Mitleid. Er gab ihn frei und erließ ihm seine Schulden" (Matthäus 18,25–27).

Der Mann ging schnurstracks zum Haus eines anderen, der ihm ein paar Dollar schuldete. Der frisch Gesegnete wird zum bereitwilligen Segensspender, oder? Denkste. Er verlangte sein Geld zurück. Er war taub für die Bitte seines

Schuldners, ihm gnädig zu sein, und ließ ihn in den Schuldenturm werfen.

Wie konnte er nur so geizig und hartherzig sein? Das verrät uns Jesus nicht. Er überlässt es unserer Spekulation, und ich vermute mal, dass der erste Schuldner nicht wirklich erkannt hatte, wie viel Gnade ihm geschenkt worden war. Er dachte, er hätte das System überlistet und den Alten ausgenommen. Er verließ das Schloss des Königs nicht mit einem dankbaren Herzen („Was für einem großartigen König diene ich!"), sondern mit stolzgeschwellter Brust („Was für ein gerissener Kerl bin ich doch!").

Der König erfuhr von dieser egoistischen Reaktion und wurde ausgesprochen sauer. „‚Was bist du doch für ein hartherziger Mensch! Deine ganze Schuld habe ich dir erlassen, weil du mich darum gebeten hast. Hättest du da nicht auch mit meinem anderen Verwalter Erbarmen haben können, so wie ich mit dir?" (Verse 32–33).

Begnadigte sind selbst gnädig.

Wurde Ihnen Gnade gewährt?

Gibt es in Ihrem Leben jemanden, dem Sie sich weigern zu vergeben? Falls ja: Wissen Sie zu schätzen, wie viel Gott Ihnen vergeben hat?

Gönnen Sie anderen Gottes Güte nicht? Sind Sie sauer auf Gott, weil er ungleich belohnt? Wenn ja, sind Sie eifersüchtig, weil Gott gut ist?

Wie lange ist es her, dass Sie jemanden mit Ihrer Großzügigkeit überrascht haben? Wann hat man Ihnen zum letzten Mal mit den Worten widersprochen: „Nicht doch, das ist zu großzügig"? Wenn es schon länger her ist, dann denken Sie doch noch einmal über Gottes verschwenderische Gnade nach. „Ich will den Herrn loben und nie vergessen, wie viel Gutes er mir getan hat. Ja, er vergibt mir meine ganze Schuld" (Psalm 103,2–3).

Lassen Sie die Gnade den Geiz aus Ihrem Herzen vertreiben. „Ich wünsche euch vielmehr, dass ihr in eurem Leben immer mehr die unverdiente Liebe unseres Herrn und Retters Jesus Christus erfahrt und ihn immer besser kennenlernt" (2. Petrus 3,18). Und wenn Sie das erleben, werden Sie so handeln wie Amy und die Dunkelheit mit der Schönheit einer Braut und dem Versprechen einer Hochzeit erhellen.

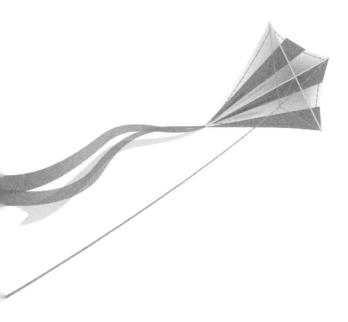

Zehn

Auserwählt

Sie werden von Ihrem Schöpfer geliebt, und zwar nicht, weil Sie versuchen, es ihm recht zu machen, und Ihnen das gelingt, oder weil es Ihnen nicht gelingt und Sie sich dafür entschuldigen, sondern weil er Ihr Vater sein will.

Aus Liebe zu uns hat er schon damals beschlossen, dass wir durch Jesus Christus seine eigenen Kinder werden sollten.
Epheser 1,5

*Weil wir nun zu Christus gehören,
hat Gott uns schon im Voraus als seine Erben eingesetzt.*
Epheser 1,11

*Er will, dass wir ihn sehen, bei ihm leben und
unsere Lebenskraft davon beziehen, dass er uns zulächelt.*
A. W. Tozer

Zwischen 1854 und 1929 wurden etwa zweihunderttausend ausgesetzte Kinder und Waisenkinder aus den Städten im Osten der USA in Züge nach Westen gesteckt. Dort sollten sie ein neues Zuhause und eine neue Familie finden. Viele der Kinder hatten ihre Eltern durch Seuchen verloren. Andere waren Kinder von glücklosen Einwanderern. Einige hatte der Bürgerkrieg zu Waisen gemacht, andere der Alkohol. Aber sie alle brauchten ein Zuhause. So wurden sie in Gruppen von dreißig oder vierzig Kindern in die Züge gesteckt, die dann in ländlichen Gegenden hielten, wo die Kinder vorgeführt wurden. Sie wurden auf einer Bühne in einer Reihe aufgestellt, wie Vieh bei einer Auktion. Die potenziellen Eltern stellten Fragen, überprüften ihre Gesundheit und sogar ihre Zähne. Wurden sie ausgewählt, gingen die Kinder in ihr neues Zuhause. Wenn nicht, dann ging es zurück in den Zug.

Der Zug der Waisen.

Lee Nailling erinnert sich noch daran. Er hatte zwei Jahre im Waisenhaus von Jefferson County gelebt, als er im Alter von acht Jahren zusammen mit seinen beiden jüngeren Brüdern an einen Bahnhof in New York gebracht wurde. Am Tag zuvor hatte sein leiblicher Vater ihm einen rosa Umschlag gegeben, in dem der Name und die Adresse seines Vaters standen. Er sagte dem Jungen, er solle ihm schreiben, sobald er am Ziel angelangt sei. Der Junge steckte den Umschlag in seine Jackentasche, damit ihn niemand stahl. Der Zug fuhr nach Texas. Lee und seine Brüder schliefen ein. Als er aufwachte, war der rosa Umschlag verschwunden. Er bekam ihn niemals wieder.

Ich würde Ihnen nur zu gern erzählen, dass Lees Vater seinen Sohn wiederfand. Dass der Mann es keine Sekunde länger ohne seine Söhne aushielt, alles verkaufte, was er besaß, um seine Familie wieder zusammenzuführen. Ich würde nur zu gern beschreiben, wie Lee die Stimme seines Vaters rufen hörte: „Mein Sohn, ich bin's! Ich bin gekommen, um dich zu holen." Doch in Lee Naillings Lebenslauf kommt das nicht vor.

Aber in Ihrem schon.

Schon vor Beginn der Welt, von allem Anfang an, hat Gott uns, die wir mit Christus verbunden sind, auserwählt. Wir sollten zu ihm gehören, befreit von aller Sünde und Schuld. Aus Liebe zu uns hat er schon damals beschlossen, dass wir durch Jesus Christus seine eigenen Kinder werden sollten. Dies war sein Plan, und so gefiel es ihm. Epheser 1,4–5

Sie haben etwas an sich, das Gott liebt. Er schätzt es nicht nur oder findet es gut, sondern er liebt es. Wenn er Sie sieht, bekommt er große Augen, und sein Herz schlägt schneller. Er liebt Sie. Und er nimmt Sie an.

Sehnen wir uns nicht nach dieser Gewissheit? Jakob jedenfalls tat es. Im Alten Testament wird die Geschichte dieses listigen, gerissenen Mannes erzählt. Er war sich nicht zu schade, seinen Vater hinters Licht zu führen, um seine eigenen Pläne durchzusetzen. Seine Jugend verbrachte er damit, Frauen, Geld und Vieh anzuhäufen, so wie es auch heute noch manche Männer machen. Aber Jakob wurde unruhig. Im mittleren Alter verspürte er die Sehnsucht, die Viehherden und ein Harem nicht stillen konnten. Und so nahm er seine Familie und zog in die Heimat zurück.

Er war nicht mehr weit davon entfernt, als er die Zelte am Jabbokfluss aufschlug und seiner Familie sagte, sie solle ohne ihn weiterziehen. Er wollte allein sein. Allein mit seinen Ängsten? Vielleicht, um seinen Mut zusammenzunehmen. Allein mit seinen Gedanken? Mal Ruhe zu haben von den Kindern und den Kamelen, war sicher schön. Es wird nicht gesagt, warum er an den Fluss ging. Aber „plötzlich stellte sich ihm ein Mann entgegen und kämpfte mit ihm bis zum Morgengrauen" (1. Mose 32,25).

Jakob bekam es nicht mit einem gewöhnlichen Mann zu tun. Dieser tauchte plötzlich aus der Dunkelheit auf. Die beiden kämpften die ganze Nacht hindurch und wälzten sich im Schlamm des Jabbok. Einmal hatte Jakob die Oberhand, bis der Mann beschloss, der Sache jetzt ein für alle Mal ein Ende zu setzen. Nach einem kräftigen Schlag auf die Hüfte krümmte sich Jakob wie ein getroffener Stierkämpfer. Nach dem Schlag sah er plötzlich wieder klar und merkte: *Ich kämpfe mit Gott.* Er packte den Mann und klammerte sich an ihn, als ginge es um sein Leben. „Ich lasse dich nicht eher los, bis du mich gesegnet hast!" (Vers 27), beharrte er.

Was sollen wir davon halten? Gott im Dreck. Ein Kampf bis aufs Messer. Jakob klammert sich an ihn und hinkt dann. Klingt mehr nach einer Kneipenschlägerei als nach einer biblischen Erzählung. Ein wenig bizarr. Aber was ist mit der Bitte um den Segen? Diesen Teil verstehe ich. Kurz gefasst und in unsere heutige Sprache übertragen, fragt Jakob: „Gott, bin ich dir wichtig?"

Diese Frage würde ich auch stellen. Wenn ich jenem Mann Auge in Auge gegenübergestanden hätte, hätte ich ihn gefragt: „Weißt du, wer ich bin? Spiele ich für dich irgendeine Rolle?"

So oft wird uns gesagt, dass wir das nicht tun. Wir werden entlassen, bekommen einen Korb. Wenn wir mit Akne, Alzheimer und Co. konfrontiert sind, kommen wir uns vor wie ein Mädchen, das keinen Partner für den Abschlussball findet.

Und wir reagieren darauf. Wir werten unser Leben mit einer Unmenge Aktivitäten auf. Wir tun mehr, kaufen mehr, erreichen mehr. Wie Jakob, so ringen auch wir. Und ich glaube, all unser Ringen läuft auf die eine Frage hinaus: „Bin ich wichtig?"

Und die Gnade ist, glaube ich, Gottes eindeutige Antwort darauf: „Sei gesegnet, mein Kind. Ich nehme dich an. Ich habe dich in meine Familie aufgenommen."

Adoptierte Kinder sind auserwählte Kinder.

Mit leiblichen Kindern ist das nicht so. Als der Arzt Jack Lucado den kleinen Max Lucado in den Arm legte, hatte mein Vater keine Wahl. Es gab keine Hintertür, keine Alternative. Er konnte mich dem Arzt nicht zurückgeben und um einen hübscheren, intelligenteren Sohn bitten. Er musste mich mit nach Hause nehmen.

Aber wenn Sie adoptiert sind, dann haben Ihre Eltern Sie auserwählt. Es gibt ungeplante Schwangerschaften, aber keine ungeplanten Adoptionen. Ich habe jedenfalls noch nie davon gehört. Ihre Eltern hätten sich für ein Kind des anderen Geschlechts, mit einer anderen Hautfarbe oder Abstammung entscheiden können. Aber sie haben Sie ausgewählt. Sie wollten Sie in ihrer Familie haben.

„Aber wenn sie gewusst hätten, wie mein Leben verlaufen würde, hätten sie es sich vielleicht anders überlegt", wenden Sie jetzt ein. Genau.

Gott kennt unser Leben von Anfang bis Ende, von der Wiege bis zur Bahre. Und trotz allem, was er sah, „hat er schon damals beschlossen, dass wir durch Jesus Christus seine eigenen Kinder werden sollten. Dies war sein Plan, und so gefiel es ihm" (Epheser 1,5). Deshalb: „Jetzt können wir zu Gott kommen und zu ihm sagen: ‚Vater, lieber Vater!' ... Als seine Kinder aber sind wir – gemeinsam mit Christus – auch seine Erben" (Römer 8,15.17). So einfach ist das.

Gottes Gnade anzunehmen heißt, sein Angebot anzunehmen, in seine Familie aufgenommen zu werden. Wer

Sie sind, hängt nicht von Ihrem Besitz, Ihren Begabungen, Ihren Tätowierungen, Ihrer Ehre oder Ihren Errungenschaften ab. Sie werden auch nicht durch Ihre Scheidung, Ihre körperlichen Beeinträchtigungen, Ihre Schulden oder Ihre schlechten Entscheidungen definiert. Sie sind Gottes Kind. Sie dürfen ihn „Papa" nennen. Sie dürfen „zu jeder Zeit furchtlos und voller Zuversicht zu Gott kommen" (Epheser 3,12). Sie empfangen den Segen seiner einzigartigen Liebe (1. Johannes 4,9–11) und seiner Fürsorge (Lukas 11,11–13). Und Sie werden auch einmal die Herrlichkeit Christi erben und für immer mit ihm herrschen (Römer 8,17).

Die Adoption gilt sowohl horizontal als auch vertikal. Sie sind Teil der ewigen Familie. Die trennenden Mauern der Feindschaft sind eingerissen, und die Gemeinschaft gründet sich auf den gemeinsamen Vater. Und schon im nächsten Augenblick gehörigen Sie zur weltweiten Familie!

Anstatt sich irgendwelche Gründe auszudenken, um sich gut zu fühlen, sollten Sie lieber auf Gottes Urteil vertrauen. Wenn Gott Sie liebt, dann müssen Sie liebenswert sein. Wenn er sich wünscht, dass Sie in seinem Königreich leben, dann müssen Sie es wert sein. Gottes Gnade lädt Sie ein – nein, sie verlangt von Ihnen –, Ihre Einstellung zu sich selbst zu ändern und sich auf seine Seite zu schlagen. Sie müssen nicht länger das Gefühl haben, abgelehnt zu sein.

Vor vielen Jahren fuhr ich einmal zu meiner Mutter, die in Westtexas lebt, um meinen Onkel zu sehen. Er war aus Kalifornien gekommen, um das Grab meines Vaters zu besuchen, da er einige Monate zuvor nicht zu dessen Beerdigung hatte kommen können.

Onkel Billy erinnerte mich an meinen Vater. Sie sahen sich sehr ähnlich: breitschultrig, rötliches Gesicht. Wir unterhielten uns und tauschten Erinnerungen aus. Als es Zeit wurde, nach Hause zu fahren, begleitete Onkel Billy mich zum Auto. Wir blieben stehen, um uns zu verabschieden. Er legte mir die Hand auf die Schulter und sagte:

„Max, du musst wissen, dass dein Vater sehr stolz auf dich war." Ich unterdrückte meine Gefühle, bis ich wegfuhr. Dann fing ich an zu heulen wie ein Sechsjähriger.

Wir werden nie so alt sein, dass wir die Liebe eines Vaters nicht mehr bräuchten. Wir sind so gestrickt, dass wir sie brauchen. Darf ich einmal Ihr Onkel Billy sein? Die Hand auf Ihrer Schulter ist jetzt meine Hand. Die Worte, die ich Ihnen zuspreche, sind Gottes Worte. Nehmen Sie sie ganz langsam in sich auf. Versuchen Sie nicht, sie zu sortieren, sich vor ihnen zu verschließen, sie herunterzuspielen oder abzuwehren. Nehmen Sie sie einfach an.

Mein Kind, ich will, dass du in meinem neuen Reich lebst. Ich habe deine Übertretungen weggewischt wie Wolken, die sich in der Sonne auflösen, und deine Sünden wie den Morgennebel. Ich habe dich freigekauft. Der Handel ist abgeschlossen; die Sache ist besiegelt. Ich, Gott, habe meine Wahl getroffen. Ich erwähle dich, damit du Teil meiner Familie wirst.

Lassen Sie durch diese Worte die beruhigende Gewissheit, dass Gott Sie niemals verlassen wird, tief in Ihr Herz sinken, damit sie Ihnen die Angst nimmt. Sie gehören zu ihm.

Lee Nailling erlebte diese Gewissheit. Erinnern Sie sich an den achtjährigen Jungen, der den Brief mit der Adresse seines Vaters verloren hatte? Bevor es besser wurde, wurde es noch schlimmer. Er und seine beiden Brüder wurden in mehrere Städte gebracht. Am sechsten Tag adoptierte jemand in einer texanischen Kleinstadt einen seiner Brüder. Dann wählte eine Familie Lee und seinen anderen Bruder aus. Aber schon bald wurde Lee zu einer weiteren Familie geschickt, einer Farmersfamilie. Aber er war noch niemals auf einem Bauernhof gewesen, und so wusste der Großstadtjunge nicht, dass man die Tür am Hühnerkäfig nicht öffnen durfte. Nachdem Lee das getan hatte, schickte ihn der wütende Farmer weg.

Es war eine Verknüpfung trauriger Ereignisse, durch die Lee seinen Vater verloren hatte, in einem Zug von New York nach Texas fuhr, von seinen beiden Brüdern getrennt wurde und aus zwei Familien rausflog. Sein kleines Herz zerbrach fast. Schließlich wurde er von einem großgewachsenen Mann und einer kleinen, molligen Frau aufgenommen. Beim Abendessen am ersten Tag sagte Lee kein Wort. Als er ins Bett ging, grübelte er darüber nach, wie er davonlaufen konnte. Am nächsten Morgen setzten sie ihn an den Frühstückstisch, und es gab Brötchen und Soße. Als er nach einem Brötchen greifen wollte …, nun, ich lasse ihn einmal selbst erzählen, was passierte.

Mrs Nailling bremste mich. „Erst sprechen wir das Tischgebet", erklärte sie. Ich sah zu, wie sie die Köpfe senkten. Mrs Nailling sprach mit sanfter Stimme zu „unserem Vater" und dankte ihm für das Essen und den wunderschönen Tag. Ich wusste genug über Gott, um zu wissen, dass der „Vater", zu dem die Frau betete, der gleiche war wie der aus dem „Vater unser im Himmel"-Gebet, das die Prediger, die zu uns ins Waisenhaus gekommen waren, gebetet hatten. Aber ich verstand nicht, warum sie zu ihm sprach, als säße er bei uns am Tisch und warte auf seinen Anteil an den Brötchen.

Dann dankte Mrs Nailling Gott „für das Vorrecht, einen Sohn großziehen zu dürfen". Ich starrte sie an, als sie anfing zu lächeln. Sie hatte mich ein Vorrecht genannt. Und Mr Nailling musste ihr wohl zustimmen, denn er fing auch an zu lächeln. Zum ersten Mal, seit ich in den Zug gestiegen war, fing ich an, mich zu entspannen. Ein seltsam warmes Gefühl drang in meine Einsamkeit, und ich sah zu dem leeren Stuhl neben mir. Vielleicht saß „unser Vater" auf seltsame Art und Weise tatsächlich dort und hörte ihre nächsten Worte, die sie mit sanfter Stimme sprach. „Hilf uns, die richtigen Entscheidungen zu treffen, wenn wir ihn leiten, und hilf auch ihm, die richtigen Entscheidungen zu treffen."

"Hau, rein, mein Sohn." Die Stimme des Mannes schreckte mich auf. Ich hatte das Amen gar nicht bemerkt. Ich war in Gedanken noch bei den „Entscheidungen". Während ich mir den Teller vollhäufte, dachte ich darüber nach. Hass und Wut und wegzulaufen schienen meine einzigen Möglichkeiten gewesen zu sein, aber vielleicht gab es auch noch andere. Dieser Mr Nailling schien nicht so übel zu sein, und die Sache mit dem „unser Vater", mit dem man reden konnte, hatte mich ein wenig durcheinandergebracht. Ich aß schweigend.

Nach dem Frühstück gingen wir zum Friseur, damit ich einen neuen Haarschnitt bekam, und wir blieben an jedem der sechs Häuser auf dem Weg stehen. Überall stellten mich die Naillings als „unseren neuen Sohn" vor. Als wir aus dem letzten Haus traten, wusste ich, dass ich beim nächsten Tagesanbruch nicht weglaufen würde. Hier gab es so ein heimeliges Gefühl, das ich noch nie erlebt hatte. Ich konnte mich zumindest dafür entscheiden, es zu versuchen.

Und da war noch etwas. Obwohl ich nicht wusste, wo Papa war oder wie ich ihm schreiben sollte, hatte ich das starke Gefühl, dass ich nicht nur einen, sondern gleich zwei neue Papas gefunden hatte, und ich konnte mit beiden reden. Und so geschah es dann auch.[1]

Als Kind Gottes zu leben heißt zu wissen, dass Sie von Ihrem Schöpfer geliebt werden. Nicht, weil Sie versuchen, es ihm recht zu machen, und Ihnen das gelingt, oder weil es Ihnen nicht gelingt und Sie sich dafür entschuldigen, sondern weil er Ihr Vater sein will. Sonst nichts. All Ihre Anstrengungen, seine Zuneigung zu gewinnen, sind nutzlos. All Ihre Ängste, seine Zuneigung zu verlieren, sind überflüssig. Sie können ihn genauso wenig dazu bringen, Sie zu lieben, wie Sie ihn dazu bringen können, Sie zu verlassen. Die Adoption ist unumstößlich. Sie haben einen Platz an seinem Tisch.

Elf

Der Himmel ist uns sicher

*Vertrauen Sie mehr darauf, dass Gott an Ihnen festhält,
als darauf, dass Sie an Gott festhalten.*

Es ist das Größte, wenn jemand seine ganze Hoffnung auf Gottes Gnade setzt und sich durch nichts davon abbringen lässt.
Hebräer 13,9

Kein Einziger von denen, die er mir anvertraut hat, soll verloren gehen.
Johannes 6,39

Wir halten also nicht zuerst seine Gebote, damit er uns liebt; vielmehr könnten wir seine Gebote gar nicht halten, wenn er uns nicht liebte.
Augustinus

Gnade ist das Geschenk, gewiss sein zu dürfen, dass unsere Zukunft, ja sogar unser Tod, herrlicher sein wird, als wir es uns je vorzustellen wagen.
Lewis Smedes

Ich brauche dringend eine Bordkarte. Und ich habe eine entdeckt. Sie steckt in der Anzugtasche des grauhaarigen Mannes, der links von mir sitzt. Er liest mit halb geschlossenen Augen einen Krimi. An sein Bein gelehnt steht ein Gehstock. Sobald seine Augen zufallen, werde ich mir die Bordkarte schnappen, in der Menge verschwinden und gerade rechtzeitig zum Boarding wiederkommen. Er würde niemals erfahren, was geschehen ist.

Verzweiflung? Allerdings! Mein Flug war annulliert worden, und der nächste Flug war ausgebucht. Wenn ich da nicht mehr reinkam, würde ich bis zum nächsten Morgen hier festsitzen. Die „sitzen gelassenen" Passagiere drängen sich im Wartebereich wie eine Herde zusammengetriebener Rindviecher. Auch ich gehöre dazu. Noch vor wenigen Augenblicken habe ich das Bodenpersonal angebettelt: „Bringen Sie mich nach Hause. Ich nehme alles, was fliegt: 747, Jet, Löschflugzeug, Gleitschirm, Drachenflieger. Egal, wo ich sitzen muss. Ich setze mich auch auf die Kloschüssel, wenn nötig." Dabei schob ich ihr einen Geschenkgutschein von „Starbucks" über die Theke. Sie verdrehte die Augen, blieb aber unbeeindruckt, als könne man sie nur mit Bargeld bestechen.

„Sie stehen auf der Warteliste."

Stöhn. Die gefürchtete Warteliste. Genauso wie Auswahlspieler beim Fußball – man darf aufs Feld, aber man ist nicht wirklich im Team. Es ist möglich, aber nicht sicher. Passagiere, die auf der Warteliste stehen, beenden jeden

Gedanken mit einem Fragezeichen: *Bin ich jetzt dazu verdammt, mich für den Rest meines Lebens von Flughafenkost zu ernähren? Werden sie im Restaurant meine Kreditkarte nehmen? Heißt es deshalb Abfertigung?*

Passagiere mit Bordkarte sind dagegen so entspannt wie ein Lehrer am ersten Tag der Sommerferien. Sie lesen Zeitschriften und blättern die Zeitung durch. Hin und wieder sehen sie auf und werfen uns mitleidige Blicke zu, dem Fußvolk der Wartelistenpassagiere. Oh, was gäbe ich darum, zu denen zu gehören, die einen Sitzplatz haben. Mit einer eigenen Sitzplatznummer und Abflugzeit. Wie soll man zur Ruhe kommen, wenn man nicht sicher ist, ob man in jenem letzten Flug nach Hause ist?

Viele Menschen können das nicht. Und viele Christen ebenfalls nicht. Sie leben mit einer tief verwurzelten Sorge darüber, wo sie wohl die Ewigkeit verbringen werden. Sie denken, dass sie errettet sind, hoffen, dass sie errettet sind, zweifeln aber trotzdem und fragen sich: *Bin ich wirklich errettet?*

Das ist keine rein akademische Frage. Kinder, die Jesus kennenlernen, stellen sie. Eltern von Kindern, die ihrem Glauben den Rücken gekehrt haben, stellen sie. Und auch Freunde von Menschen, die vom rechten Weg abkommen. Die Frage stellt sich dem, der mit sich kämpft. Sie schleicht sich in die Gedanken des Sterbenden. Wenn wir unser Versprechen Gott gegenüber vergessen, vergisst er uns dann auch? Landen wir bei Gott auf der Warteliste?

Unser Verhalten lässt uns zweifeln. Am einen Tag sind wir stark, am nächsten werden wir schwach. Einmal hingegeben, dann wieder flatterhaft. Erst glauben, dann zweifeln. Unser Leben erinnert an eine Achterbahn mit all ihren Höhen und Tiefen.

Klassischerweise berechnet man ja den Mittelwert aus diesen Schwankungen und zieht einen Strich mitten hindurch. Wenn wir über dem Durchschnitt liegen, können wir uns Gottes Zustimmung erfreuen. Wenn wir darunterliegen, droht uns das Kündigungsschreiben, und wir fliegen aus dem Himmel. Wenn wir diesem Denkmuster folgen, wird ein Mensch mehrmals am Tag errettet und geht wieder verloren. Es ist ein ständiges Rein und Raus aus dem Reich Gottes. Unsere Errettung wird dann zur Frage des richtigen Zeitpunktes. Man hofft einfach, dass man stirbt, wenn man gerade ein Hoch erreicht hat. Aber es gibt keine Sicherheit, keine Konstanz, keine Zuversicht.

Aber Gottes Plan sieht anders aus. Oh ja, auch er zieht einen Strich. Aber er zieht ihn unterhalb all unserer Höhen und Tiefen. Jesu Worte könnten nicht deutlicher sein: „Ihnen gebe ich das ewige Leben, und sie werden niemals umkommen. Niemand kann sie aus meiner Hand reißen" (Johannes 10,28).

Jesus hat uns ein neues Leben versprochen, das wir nie wieder verlieren können und das nie beendet wird. „Wer meine Botschaft hört und an den glaubt, der mich gesandt hat, der wird ewig leben. Ihn wird das Urteil Gottes nicht treffen, denn er hat die Grenze vom Tod zum Leben schon überschritten" (Johannes 5,24). Hinter uns werden die Brücken eingerissen, der Übergang ist geschafft. Höhen und Tiefen gibt es weiterhin, aber sie katapultieren uns niemals ins Aus. Unser Leben hat seine guten und seine schlechten Zeiten, aber sie werden uns niemals aus seinem Reich verbannen. Jesus zieht eine Grundlinie der Gnade durch unser Leben.

Ja, mehr noch, Gott kennzeichnet uns als seinen Besitz. „So drückte er uns sein Siegel auf, wir sind sein Eigentum geworden. Das Geschenk des Geistes in unseren Herzen ist Gottes sicheres Pfand dafür, dass er uns noch viel mehr schenken wird" (2. Korinther 1,22). Sie haben so etwas bestimmt auch schon gemacht: Sie haben Ihren Namen in einen Ring eingravieren lassen oder Dinge, die Ihnen gehören, mit Ihrem Namensschild versehen. Cowboys versehen Vieh mit den Brandzeichen des Eigentümers. Damit werden Besitzverhältnisse geklärt. Durch seinen Geist hat Gott uns sein Siegel aufgedrückt. Möchtegern-Diebe werden abgehalten, wenn sie seinen Namen sehen. Satan schreckt zurück vor der Aussage: *Finger weg! Das ist mein Kind! Für immer, Gott.*

Mal errettet und mal nicht – das gibt es nirgends in der Bibel. Errettet zu werden ist kein sich wiederholendes Ereignis. Es gibt in der Bibel kein Beispiel für einen Menschen, der errettet wird, dann wieder verloren geht und wieder errettet wird und wieder verloren geht.

Wo es keine Gewissheit der Errettung gibt, gibt es auch keinen Frieden. Kein Friede heißt keine Freude. Und ohne Freude führt man ein Leben in Furcht. Ist das das Leben, das Gott uns geschenkt hat? Nein. Die Gnade schenkt ein Selbstbewusstsein, das sagt: „Ich weiß genau, an wen ich glaube. Ich bin ganz sicher, dass Christus mich und all das, was er mir anvertraut hat, bis zum Tag seines Kommens bewahren wird" (2. Timotheus 1,12).

Es gibt vieles im Leben, das wir nicht wissen, aber eines wissen wir doch: Wir haben eine Bordkarte. „Ich weiß, dass ihr an den Sohn Gottes glaubt. Mein Brief sollte euch noch einmal versichern, dass ihr das ewige Leben habt" (1. Johannes 5,13). Vertrauen Sie mehr darauf, dass Gott an Ihnen festhält, als darauf, dass Sie an Gott festhalten. Seine Treue hängt nicht von Ihrer Treue ab. Sein Handeln wird nicht durch Ihr Handeln bestimmt. Seine Liebe ist nicht durch Ihre bedingt. Ihr Docht glimmt vielleicht nur noch schwach, aber er wird nicht verlöschen.

Haben Sie Schwierigkeiten, diese Verheißung zu glauben? So ging es den Jüngern auch.

Am Abend vor seinem Tod erklärte Jesus ihnen: „In dieser Nacht werdet ihr euch alle von mir abwenden. Denn es steht geschrieben: ‚Ich werde der Herde den Hirten nehmen, und die Schafe werden auseinander laufen.' Aber nach meiner Auferstehung werde ich nach Galiläa gehen, und dort werdet ihr mich wiedersehen" (Matthäus 26,31–32).

Inzwischen kannten die Jünger Jesus schon drei Jahre. Sie hatten tausend Nächte mit ihm verbracht. Sie kannten seinen Gang, seinen Dialekt und seinen Sinn für Humor. Sie hatten seinen Atmen gerochen, ihn schnarchen gehört und gesehen, wie er sich die Essensreste aus den Zähnen pulte. Sie hatten die Wunder erlebt, von denen wir wissen, und unzählige mehr, von denen wir nichts wissen. Brotvermehrung. Heilung Aussätziger. Sie hatten gesehen, wie er aus Wasser Burgunder und aus einer Vesper ein Büfett machte. Sie hatten den auferstandenen Lazarus aus seinen Totentüchern gewickelt. Sie hatten gesehen, wie der Lehmbrei von den Augen des geheilten Blinden fiel. Drei Jahre lang hatten diese handverlesenen Rekruten einen Platz in der ersten Reihe, auf der Ehrentribüne des großartigsten himmlischen Schauspiels. Und wie haben sie reagiert?

„Ihr werdet euch alle von mir abwenden", erklärte Jesus ihnen. Abfallen. Abwenden. Weglaufen. Ihre Versprechen würden wie Eis in der Sonne schmelzen. Aber Jesu Versprechen sollte bestehen bleiben. „Aber nach meiner Auferstehung werde ich nach Galiläa gehen, und dort werdet ihr mich wiedersehen" (Vers 32). Was das heißt? „Ihr werdet tief fallen, aber meine Gnade reicht noch tiefer. Ihr stolpert, ich fange euch auf. Ihr lauft davon, ich sammle euch ein. Ihr wendet euch ab von mir, ich wende mich euch zu. Ich warte auf euch in Galiläa."

An Petrus ging diese Verheißung vollkommen vorbei. „Wenn dich auch alle anderen verlassen – ich halte zu dir!" (Vers 33).

Das war nicht gerade einer seiner hellsten Momente. „Wenn ... auch alle anderen ..." Arrogant. „Ich halte zu dir!" Er war sich selbst genug. Petrus vertraute auf die

Stärke des Petrus. Aber Petrus' Stärke sollte sich schon bald in Luft auflösen. Jesus wusste das. „Simon, Simon! Der Satan ist hinter euch her, die Spreu vom Weizen zu trennen. Aber ich habe für dich gebetet, damit du den Glauben nicht verlierst. Wenn du dann zu mir zurückkehrst, so stärke den Glauben deiner Brüder!" (Lukas 22,31–32).

Satan konnte Petrus angreifen und auf die Probe stellen. Aber Satan konnte Petrus niemals für sich in Anspruch nehmen. Warum nicht? Weil Petrus so stark war? Nein, weil Jesus so stark ist. „Ich habe für dich gebetet." Jesu Gebete für einen seiner Jünger machen Satan handlungsunfähig. Der Betreffende mag vielleicht stolpern, aber er wird niemals ganz von Gott abfallen.

Jesus betet auch für Sie. „Heiliger Vater, erhalte sie in der Gemeinschaft mit dir, damit sie eins werden wie wir ... Ich bitte aber nicht nur für sie, sondern für alle, die durch ihre Worte von mir hören werden und an mich glauben" (Johannes 17,11.20).

Wird Gott die Bitten seines Sohnes erhören? Natürlich wird er das. Vielleicht wird auch bei uns die Spreu vom Weizen getrennt, wie im Fall von Petrus. Unser Glaube wird schwächer, unsere Entschlossenheit lässt nach, aber wir werden Jesus nicht den Rücken kehren. Jesus wird uns „sicher ans Ziel bringen" (Judas Vers 1), und Gott wird uns „durch seine Kraft bewahren" (1. Petrus 11,5). Und diese Kraft ist nicht gering. Es ist die Kraft des lebendigen und ewig beständigen Retters.

Aber könnten manche diese Sicherheit nicht ausnutzen? Wenn sie wissen, dass Gott sie fängt, wenn sie fallen, könnten sie sich dann nicht mit Absicht fallen lassen? Ja, das könnten sie eine Zeitlang. Aber durch Gottes Gnade, die so tief reicht, und seine Liebe und Güte, die sie durchdringt, werden sie sich verändern. Gnade bewirkt Gehorsam.

Denken Sie einmal an die Geschichte von Josef, dem Helden aus dem Alten Testament. Seine Brüder verkauften ihn an Sklavenhändler, die ihn dann wiederum an Potifar verkauften, einen hochrangigen Beamten in Ägypten. Während seiner Dienstzeit in Potifars Haus genoss Josef Gottes Wohlwollen. „Der Herr half Josef: Ihm glückte alles, was er unternahm ... und Potifar sah, dass der Herr ihm Erfolg schenkte. ... Von da an ließ der Herr bei Potifar alles besonders gut gelingen" (1. Mose 39,2.3.5). Der Erzähler sorgt dafür, dass wir das richtig verstehen. Gott war gut zu Josef. Sogar so gut, dass Potifar Josef die Aufsicht über alles überließ. Er überließ ihm seinen gesamten Haushalt.

Was vielleicht ein Fehler war, denn während Potifar weg war, fing seine Frau an, sich für Josef zu interessieren. Sie warf ihm begierige Blicke zu. Sie klimperte mit den Wimpern, spitzte die Lippen. Sie „fing ... an, ihn zu begehren, und forderte ihn auf, mit ihr zu schlafen" (Vers 7; NLB).

Die Versuchung war wahrscheinlich groß. Josef war immerhin ein junger Mann, ganz allein in einem fernen Land. Für eine kleine Liebelei hätte Gott doch sicher Verständnis, oder?

Falsch. Schauen Sie sich nur einmal Josefs eindeutige Antwort an: „Wie könnte ich da ein so großes Unrecht tun und gegen Gott sündigen?" (Vers 9).

Gottes Güte hat Josefs Hingabe geweckt.

Und in uns bewirkt Gottes Gnade das Gleiche. „Denn Gottes Barmherzigkeit ist sichtbar geworden, mit der er alle Menschen retten will. Sie bringt uns dazu, dass wir uns von aller Gottlosigkeit und allen selbstsüchtigen Wünschen trennen, dafür besonnen und rechtschaffen leben, wie es Gott gefällt" (Titus 2,11–12).

Eine starke Gnade ist das, die zugleich überführt und tröstet! Lassen Sie sich davon überführen. Wenn Sie sich je dabei ertappen, dass Sie denken: *Ich kann tun, was ich will, denn Gott wird mir eh vergeben*, dann kennen Sie seine Gnade nicht. Sie erleben vielleicht Egoismus. Ganz bestimmt Arroganz. Aber Gnade? Nein. Wenn man die

Bekanntschaft der Gnade gemacht hat, führt das zu dem Entschluss, richtig zu handeln, und nicht zu der Auffassung, dass man dann ja nach Herzenslust sündigen darf.

Und lassen Sie sich von der Gnade trösten. Vertrauen Sie Jesus am Anfang und am Ende Ihres Seins. Er ist das Alpha und das Omega. Er wird Sie festhalten. Und er wird auch die festhalten, die Sie lieben. Haben Sie ein Kind, das Gott den Rücken gekehrt hat? Sehnen Sie sich danach, dass Ihr Ehepartner zu Gott zurückfindet? Haben Sie einen Freund, dessen Glaube nachgelassen hat? Gott möchte noch viel mehr als Sie, dass diese Menschen zu ihm zurückkommen. Beten Sie weiter, aber geben Sie nicht auf.

Barbara Leininger hat auch nicht aufgegeben. Sie und ihre Schwester Regina waren Töchter deutscher Einwanderer, die sich Mitte des 18. Jahrhunderts in Pennsylvania angesiedelt hatten. Die beiden Mädchen waren elf und neun Jahre alt, als sie entführt wurden. An einem Herbsttag im Jahre 1755 hielten sich die beiden Mädchen zusammen mit ihrem Bruder und ihrem Vater in der Blockhütte ihrer Farm auf, als zwei indianische Krieger zur Tür hereinstürmten. Viele der Eingeborenen in dieser Gegend waren den Neuankömmlingen freundlich gesinnt, aber diese beiden nicht. Barbara und Regina drückten sich aneinander, als ihr Vater auf die beiden zuging. Seine Frau und sein zweitältester Sohn waren an diesem Tag zur Mühle gegangen. Sie waren in Sicherheit, aber seine beiden Töchter nicht.

Er bot den Indianern Proviant und Tabak an. Dann schickte er die Mädchen los, um einen Eimer Wasser zu holen, da die Männer sicher durstig sein mussten. Als die Mädchen zur Tür hinausgingen, sagte er auf Deutsch zu ihnen, sie sollten erst wiederkommen, wenn die Indianer weg waren. Sie rannten zum nahe gelegenen Bach. Als sie dort Wasser schöpften, hörten sie einen Schuss. Sie versteckten sich im Gras und beobachteten, wie ihr Blockhaus in Flammen aufging. Ihr Vater und ihr Bruder kamen nicht heraus, wohl aber die beiden Indianer.

Sie fanden die Mädchen, die sich im Gras versteckt hatten, und verschleppten diese. Bald schon tauchten andere Krieger und Gefangene auf. Barbara merkte, dass sie und Regina nur zwei von vielen Kindern waren, die das Massaker überlebt hatten. Aus Tagen wurden Wochen, während die Indianer mit ihnen nach Westen zogen. Barbara versuchte, so oft wie möglich in Reginas Nähe zu bleiben, um sie aufzumuntern. Sie erinnerte Regina an ein Lied, das ihnen ihre Mutter beigebracht hatte:

Einsam bin ich, nicht allein
In dieser trostlosen Einsamkeit
Spür ich, mein Retter ist nicht weit
Er macht mir Mut in trüber Zeit
Er ist bei mir, und ich bin sein,
So kann ich niemals einsam sein.[1]

Die Mädchen sangen es sich jeden Abend beim Einschlafen gegenseitig vor. Solange sie zusammen waren, glaubten sie daran, überleben zu können. Aber dann verstreuten sich die Indianer und trennten die Schwestern voneinander. Barbara versuchte, Regina festzuhalten, und ließ ihre Hand erst los, als sie drohten, sie umzubringen. Die beiden Mädchen wurden in entgegengesetzte Richtungen davongeführt. Barbaras Reise dauerte noch einige Wochen und führte immer tiefer in den Wald hinein. Schließlich tauchte ein Indianerdorf auf. Es war offensichtlich, dass die Kinder die Lebensweise ihrer Eltern vergessen sollten. Englisch war nicht erlaubt, nur Irokesisch. Sie bebauten Felder und gerbten Felle. Sie trugen Lederröcke und Mokassins. Sie verlor jeden Kontakt zu ihrer Familie und den anderen Siedlern.

Drei Jahre später gelang Barbara die Flucht. Elf Tage lang lief sie durch die Wälder, bis sie schließlich in Fort

Pitt in Sicherheit war. Sie flehte die Offiziere an, einen Rettungstrupp loszuschicken, um Regina zu suchen. Sie erklärten ihr, dass so ein Einsatz unmöglich sei, und brachten sie wieder mit ihrer Mutter und ihrem Bruder zusammen. Niemand hatte irgendetwas von Regina gehört.

Barbara dachte jeden Tag an ihre Schwester, aber ihre Hoffnung war nur gering, bis sechs Jahre später etwas geschah. Sie hatte inzwischen geheiratet und eine eigene Familie gegründet, als sie die Nachricht erhielt, dass 206 Gefangene befreit und nach Fort Carlisle gebracht worden waren. Ob Regina wohl darunter war?

Barbara und ihre Mutter machten sich auf den Weg, um es herauszufinden. Der Anblick der Flüchtlinge schockierte sie. Die meisten von ihnen hatten jahrelang von der Umwelt und anderen Siedlern abgeschnitten in Indianerdörfern gelebt. Sie waren ausgemergelt und verwirrt. Sie waren so blass, dass sie sich kaum vom Schnee abhoben.

Barbara und ihre Mutter gingen die Reihen entlang, riefen Reginas Namen, blickten suchend in die Gesichter und sprachen Deutsch. Niemand sah sie an oder antwortete. Mutter und Tochter wandten sich mit Tränen in den Augen ab und erklärten dem Oberst, Regina sei nicht unter den Geretteten.

Der Oberst drängte sie, sich noch einmal zu vergewissern. Er fragte nach irgendwelchen Erkennungsmerkmalen wie Narben oder Muttermalen. Es gab keine. Er fragte nach Familienerbstücken wie Kettchen oder Armbändern. Die Mutter schüttelte den Kopf. Regina hatte keinen Schmuck getragen. Dann hatte der Oberst noch eine letzte Idee: Gab es irgendeine Kindheitserinnerung oder ein Lied?

Die Gesichter der beiden Frauen erhellten sich. Wie wäre es mit dem Lied, das sie jeden Abend gesungen hatten? Barbara und ihre Mutter machten sogleich kehrt und gingen erneut langsam durch die Reihen. Dabei sangen sie: „Einsam bin ich, nicht allein …" Lange Zeit reagierte niemand. An den Gesichtern konnten sie ablesen, dass die Gefangenen durch das Lied getröstet wurden, aber niemand reagierte darauf. Dann vernahm Barbara plötzlich einen Aufschrei. Ein hochgewachsenes, schlankes Mädchen kam aus der Menge auf ihre Mutter zugerannt, umarmte sie und fing an, das Lied mitzusingen.

Regina hatte weder ihre Mutter noch ihre Schwester erkannt. Sie hatte Englisch und Deutsch verlernt. Aber sie erinnerte sich an das Lied, das ihr als kleines Mädchen ins Herz gelegt worden war.[2]

Auch Gott legt seinen Kindern ein Lied ins Herz. Ein Lied von Hoffnung und Leben. „Er gab mir ein neues Lied in meinen Mund" (Psalm 40,4). Manche Gläubigen singen dieses Lied jeden Tag laut und lange. Bei anderen ist das Lied verstummt. Die Verletzungen und Geschehnisse des Lebens lassen die Melodie im Inneren verstummen. Es gibt lange Phasen, in denen Gottes Lied nicht mehr gesungen wird.

Ich muss an dieser Stelle vorsichtig sein. In Wirklichkeit wissen wir nicht immer, ob jemand Gottes Gnade wirklich vertraut. Vielleicht hat jemand den Glauben nur vorgetäuscht.[3] Es ist nicht unsere Sache, das mit letzter Sicherheit zu wissen. Aber eines wissen wir: Wer wirklich umkehrt, ist für immer errettet. Unsere Aufgabe ist es, darauf zu vertrauen, dass Gott seine Kinder auch nach Hause bringen kann. Wir sind mit einem Gott unterwegs, der mitten unter seinen irregegangenen und verletzten Kindern ist und singt.

Diejenigen, die zu ihm gehören, werden seine Stimme schließlich hören, und sie wird etwas in ihnen wachrufen. Und wenn das geschieht, fangen auch sie wieder an zu singen.

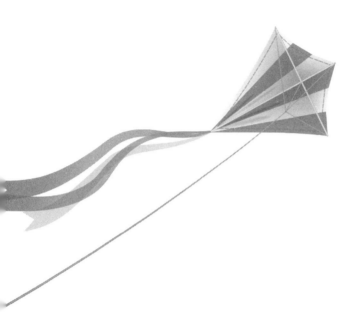

Schlusswort

Wo Gnade einzieht

Gnade ist mehr Verb als Nomen, mehr Gegenwart als Vergangenheit. Gnade hat nicht nur kurz bei Ihnen vorbeigeschaut, sie ist bei Ihnen eingezogen.

*Werde stark im Glauben durch die Kraft,
die Jesus Christus dir schenkt.*
2. Timotheus 2,1

*Ändert euch, indem ihr euch von Gott
völlig neu ausrichten lasst.*
Römer 12,2

*Obwohl das Werk Christi für den Sünder vollendet ist,
ist sein Werk am Sünder noch nicht beendet.*
Donald G. Bloesch

*Ich verstehe das Geheimnis der Gnade nicht –
ich weiß nur, dass sie uns dort abholt,
wo wir gerade sind, uns aber nicht dort lässt.*
Anne Lamott

Für Zehnjährige sind Weihnachtsgeschenke eine ernste Angelegenheit. Zumindest war das bei uns so, als wir in die vierte Klasse gingen und Mrs Griffin unsere Klassenlehrerin war. Das Weihnachtswichteln kam noch vor der Präsidentschaftswahl, dem Einkauf der Nachwuchsspieler in der Footballliga und den Paraden zum Unabhängigkeitstag. Wir wussten genau, wie es ablief: Am letzten Schultag vor den Thanksgiving-Ferien schrieb Mrs Griffin alle unsere Namen auf kleine Zettel, legte sie in eine Baseballmütze und schüttelte sie durcheinander. Einer nach dem anderen gingen wir zu ihrem Tisch und zogen den Namen einer Person, der wir dann ein Geschenk machten.

Gemäß der Genfer Konvention fürs Wichteln mussten wir den Namen des Beschenkten geheim halten. Es war nicht erlaubt, irgendwelche Namen zu verraten. Wir verrieten niemandem, für wen wir einkaufen gingen. Aber wir erzählten allen, was wir uns wünschten. Wie sollte „unser" Schenker es denn sonst erfahren? Es rieselte so viele Hinweise, wie es im kanadischen Winter Schneeflocken rieselt, ständig und überall. Ich sorgte dafür, dass jeder meiner Klassenkameraden wusste, was ich mir wünschte: einen „Sechsten Finger".

1965 wollten alle amerikanischen Jungen einen Sechsten Finger. Der Sechste Finger war mehr als nur ein gewöhnliches Spielzeug. Es war eine Plastikpistole in Form eines Fingers, mit der man Knallerbsen, Kapseln mit Nachrichten darin, Geheimgeschosse und kleine SOS-Raketen abschießen konnte. Der Finger ließ sich sogar als Kugelschreiber gebrauchen. Man konnte unmöglich ohne einen Sechsten Finger leben. Ich jedenfalls nicht. Und ich sorgte dafür, dass die übrigen zwölf Schüler in Mrs Griffins Klasse das wussten.

Aber Carol hatte nicht zugehört. Die kleine Carol mit den Zöpfen, Sommersprossen und glänzenden, schwarzen Schuhen. Lassen Sie sich von ihrer unschuldigen Erscheinung nicht täuschen. Sie hat mir das Herz gebrochen. Denn an dem Tag, an dem die Geschenke ausgetauscht wurden, riss ich das Geschenkpapier auf und fand nur Briefpapier darin. Sie haben ganz richtig gelesen: Briefpapier! Braune Briefumschläge und Faltkarten mit dem Bild eines Cowboys, der mit dem Lasso ein Pferd einfängt. Welcher zehnjährige Junge braucht denn Briefpapier?!

Diese Art von Geschenk hat einen Namen: das Pflicht-Geschenk. Das „Du musst mir was schenken"-Geschenk. Das „Oh, ich hätte es fast vergessen"-Geschenk.

Ich kann mir die Szene an jenem schicksalhaften Morgen im Jahre 1965 bei Carol daheim lebhaft vorstellen. Sie frühstückt gerade, als ihre Mutter sie nach der Weihnachtsfeier in ihrer Klasse fragt. „Carol, musst du denn kein Geschenk mitbringen?"

Die kleine Carol lässt den Löffel in die Cornflakes fallen. „Das habe ich vergessen! Ich muss ein Geschenk für Max mitbringen."

„Für wen?"

„Für Max, den gutaussehenden Klassenkameraden, der in Sport und allen Fächern so unglaublich gut und überaus freundlich und bescheiden ist."

„Und das sagst du mir erst jetzt?", erwidert Carols Mutter.

„Ich habe es vergessen. Aber ich weiß, was er will. Er will einen Sechsten Finger."

„Eine Prothese?"

„Nein, einen Sechsten Finger. Kennst du die Werbung nicht?"

Carols Mutter schnaubt verächtlich. „Pfff. Einen Sechsten Finger, meine Güte." Sie geht in die Rumpelkammer und wühlt sich durch … nun ja, eben durch das Gerümpel. Sie findet ein Paar bunt gemusterte Socken, die ihr Sohn nicht wollte, und eine Duftkerze in Form eines Dinosauriers. Beinahe hätte sie eine Schachtel mit Billig-Kugelschreibern genommen, aber dann entdeckt sie das Briefpapier.

Carol geht auf die Knie und fleht ihre Mutter an: „Tu das nicht, Mama. Schenk ihm kein Briefpapier mit einem kleinen Cowboy drauf, der mit dem Lasso ein Pferd einfängt. In siebenundvierzig Jahren wird er einmal im Schlusswort eines Buches davon erzählen. Willst du wirklich als die in Erinnerung bleiben, die ihm ein Pflichtgeschenk gemacht hat?"

„Quatsch", widerspricht Carols Mutter. „Schenk ihm das Briefpapier. Dieser Junge landet früher oder später sowieso im Gefängnis. Dann wird er jede Menge Zeit haben zum Briefeschreiben."

Und so machte sie mir dieses Geschenk. Und was habe ich damit gemacht? Das Gleiche, was Sie mit den Kaffeetassen, Kristallkerzenhaltern, Kalendern von Versicherungen, rosa Handtüchern und bestickten Taschentüchern gemacht haben. Was ich mit dem Briefpapier gemacht habe? Ich habe es beim nächsten Weihnachtswichteln weitergeschenkt.

Ich weiß, dass wir nicht jammern sollen. Aber mal ehrlich: Wenn Ihnen jemand ein Stück Seife gibt, das offensichtlich aus einem Hotel stammt, und sagt: „Das ist für dich", finden Sie das nicht auch wenig originell? Aber wenn Ihnen jemand ein richtiges Geschenk macht, genießen Sie dann nicht auch diese ganz besondere Zuwendung? Der selbstgestrickte Pullover, das Fotoalbum vom letzten Sommer, ein selbstgeschriebenes Gedicht, ein Buch von Lucado. Solche Geschenke zeigen einem, dass sich jemand Gedanken gemacht, etwas vorbereitet, gespart, gesucht hat. Last-Minute-Entscheidung? Nein, dieses Geschenk ist extra für Sie.

Haben Sie schon einmal so ein Geschenk bekommen? Ja, das haben Sie. Entschuldigung, dass ich Ihnen die Worte in den Mund lege, aber ich kenne die Antwort auf meine Frage schon. Sie haben ein ganz persönliches Geschenk bekommen. Eines, das extra für Sie gedacht war. Jesus Christus, der Retter, wurde für Sie geboren.

Damals hat ein Engel die Botschaft überbracht. Hirten waren die Ersten, die sie hörten. Aber was der Engel zu ihnen sagte, sagt Gott zu jedem, der es hören will: Jesus ist das Geschenk.

Er selbst ist der Schatz. Gnade ist kostbar, weil er kostbar ist. Gnade verändert Menschenleben, weil er es tut. Gnade gibt uns Sicherheit, weil er sie uns gibt. Der Schenkende ist das Geschenk. Gnade zu entdecken heißt, Gottes vollkommene Hingabe an Sie zu entdecken, seine unbändige Entschlossenheit, Ihnen seine reinigende, heilende, läuternde Liebe zu schenken, die die Gebrochenen wieder auf die Beine bringt. Steht er vielleicht ganz oben auf einem Berg und fordert Sie auf, aus dem Tal hinaufzuklettern? Nein. Er kommt mit einem Satz herunter und trägt Sie hinauf. Baut er eine Brücke und wartet, bis Sie sie überqueren? Nein, er kommt selbst herüber und trägt Sie huckepack hinüber. „Denn nur durch seine unverdiente Güte seid ihr vom Tod errettet worden … Dies alles ist ein Geschenk Gottes und nicht euer eigenes Werk" (Epheser 2,8).

Das ist das Geschenk, das uns Gott macht. Eine Gnade, die uns zuerst die Kraft gibt, Liebe zu empfangen, und dann die Kraft, sie weiterzugeben. Eine Gnade, die uns verändert, uns formt und uns zu einem Leben führt, das für immer verändert ist. Kennen Sie diese Gnade? Vertrauen Sie dieser Gnade? Wenn nicht, dann können Sie es jetzt tun. Gott will dazu nur unser Vertrauen. Setzen Sie Ihr Vertrauen auf Gott.

Und wachsen Sie in Gottes Gnade. Gnade ist mehr Verb als Nomen, mehr Gegenwart als Vergangenheit. Gnade hat nicht nur kurz bei Ihnen vorbeigeschaut, sie ist bei Ihnen eingezogen.

Das, was Gott
> vor langer Zeit
>> durch Christus
>>> am Kreuz tat,
> ist das, was er
>> durch Christus
>>> jetzt
>>>> in Ihnen tut.

Lassen Sie ihn sein Werk vollbringen. Lassen Sie zu, dass die Gnade Ihr Vorstrafenregister, Ihre Kritiker und Ihr schlechtes Gewissen übertrumpft. Sehen Sie sich als das, was Sie sind: Gottes persönliches Renovierungsprojekt. Nicht eine Welt in sich selbst, sondern als Werk seiner Hände. Nicht verdorben durch Ihre Fehler, sondern veredelt durch sie. Vertrauen Sie weniger auf das, was Sie tun, und mehr auf das, was Christus getan hat. Seien Sie weniger Gnaden-los und mehr von Gnade bestimmt. Lassen Sie sich tief in Ihrem Innersten davon überzeugen, dass das Leben nur die Ouvertüre ist und Gott gerade erst angefangen hat, dass die Hoffnung begründet ist und der Tod ein Verfallsdatum hat.

Gnade. Lassen Sie sie zu, lassen sie *ihn* so tief in die Risse Ihres verkrusteten Lebens eindringen, dass sie, dass *er* alles aufweicht. Und lassen Sie sie, lassen Sie *ihn* dann durch freundliche Worte und Großzügigkeit an die Oberfläche dringen wie ein Brunnen in der Wüste. Gott wird Sie verändern. Sie sind die Trophäe seiner Güte, Teilnehmer an seiner Mission. Natürlich sind Sie nicht vollkommen, aber Sie sind der Vollkommenheit näher als jemals zuvor. Sie sind beständig stärker, immer besser und ganz sicher näher dran.

Das passiert, wo Gnade Einzug hält. Möge sie bei Ihnen einziehen.

Zur Vertiefung
von Kate Etue

Gnade ist die Stimme, die uns zur Veränderung aufruft und uns dann bereit macht, uns ihrer verändernden Kraft auszusetzen. Auf die Gnade kommt es an, weil es auf Jesus ankommt, und sie wirkt, weil er wirkt. Der Gedanke, dass unser Leben ganz anders aussehen könnte, wenn wir uns nur in seine gnädigen Hände begeben, birgt unglaublich viel Hoffnung. Der folgende Teil soll ein praktischer Leitfaden sein, um Ihr Verständnis von Gottes Gnade zu vertiefen. Er soll Ihnen helfen zu erkennen, wo die Gnade in Ihrem Leben schon überfließt und welche Bereiche vielleicht noch ganz besonders seiner Gnade bedürfen.

Dieser Arbeitsteil besteht aus zwölf Einheiten, mit denen Sie sich in den kommenden zwölf Wochen beschäftigen können. Zu Beginn finden Sie jeweils die wichtigste Bibelstelle für die jeweilige Einheit. Der Abschnitt „Kurz zusammengefasst" bestimmt das Thema der Einheit, indem ein Abschnitt aus dem Buch zitiert wird. Als Nächstes kommt „Was die Bibel dazu sagt". Ausgewählte Bibelstellen sollen Ihnen helfen, sich intensiv mit dem Thema und dem Schlüsselvers der Woche zu beschäftigen. Wenn wir über Gottes Wort nachdenken, lernen wir, Gnade besser zu verstehen. Im nächsten Abschnitt „Und was ist mit Ihnen?"

werden Ihnen Fragen zu Ihrem Umgang mit dem Thema „Gnade" gestellt: Ihren Gewohnheiten, Sichtweisen und Ihrer Beziehung zu Gott. „Gebet" bietet ein vorformuliertes Gebet für Ihr ganz persönliches Gespräch mit dem Geber aller Gnade. Widmen Sie diesem Teil viel Zeit, sprechen Sie mit Gott, und hören Sie auf seine Stimme. In „Von Gnade bestimmt leben" finden Sie dann Anregungen zum Nachdenken und praktische Schritte, um der Gnade einen wichtigen Platz in Ihrem Leben zu geben.

Sie können diesen Arbeitsteil sowohl in Kleingruppen als auch in Ihrer persönlichen Stillen Zeit verwenden. Wenn Sie ihn allein durcharbeiten, sollten Sie vorher darüber nachdenken, mit wie vielen Fragen Sie sich jeden Tag beschäftigen wollen. Beten Sie für Ihre Entscheidungen. Bitten Sie Gott, Ihnen zu zeigen, wie Sie das, was Sie gelernt haben, anwenden können. Wenn Sie den Arbeitsteil in einer Kleingruppe durchnehmen, sollten Sie den Abschnitt „Was die Bibel dazu sagt" vorher selbstständig zu Hause durcharbeiten. Dann sind Sie für das Gruppengespräch über die Fragen von „Und was ist mit Ihnen?" besser vorbereitet.

Bitten Sie Gott bei der Beschäftigung mit den folgenden Abschnitten, Ihnen zu helfen, das Wesen seiner Gnade und ihre lebensverändernde Kraft besser zu verstehen. Sie werden erleben, wie Gottes Gnade Sie auf eine Weise durchströmt, die Sie in Staunen versetzen wird. Denken Sie daran, dass er jedem von uns seine Gnade schenkt: unbegrenzt und unverdient.

Eins: Leben mit Gnade

Ich will euch ein anderes Herz und einen neuen Geist geben.
Hesekiel 36,26

Kurz zusammengefasst

Ich habe da so eine Ahnung: Wir geben uns mit einer kümmerlichen Gnade zufrieden. Sie wird freundlicherweise in unseren Liedern erwähnt und macht sich gut in einem Spruch an der Wand unserer Gemeinde. Sie macht keine Probleme und verlangt keine Antwort. Wer könnte schon Nein sagen, wenn man ihn fragt: „Glaubst du an die Gnade?"

In diesem Buch will ich eine tiefergehende Frage stellen: Hat die Gnade Sie verändert? Sie geformt? Sie gestärkt? Sie ermutigt? Sie sanft gemacht? Sie am Schlafittchen gepackt und kräftig durchgeschüttelt? ... Die Gnade fordert uns dazu heraus, uns zu ändern, und schenkt uns dann die Kraft, es auch zu tun.

Was die Bibel dazu sagt

1. Was sagen diese Verse über Gottes Gnade aus?
    - Johannes 1,16–17
    - Römer 1,5
    - Römer 5,19–6,2
    - 1. Korinther 15,10
    - 2. Korinther 12,7–9
    - Epheser 2,8–9
2. Wie würden Sie vor dem Hintergrund dieser Bibelstellen Gottes Gnade beschreiben? Was bedeutet Ihre Definition für das Leben eines Menschen, der Jesus nachfolgt?
3. Lesen Sie Römer 12,9–21. Was kann die Gnade in uns bewirken, damit wir so leben können, wie es in diesem

Abschnitt beschrieben wird? Welche Aufgabe haben wir bei dieser Veränderung?
4. Lesen Sie Galater 2,15–21 und 3,10–29. Warum war, nach Aussage von Paulus, das Konzept der Gnade so etwas radikal Neues für die ersten Christen? Warum ist es auch für uns heute noch etwas radikal Neues?
5. In der Bibel heißt es: „Achtet darauf, dass keiner von euch an Gottes Gnade gleichgültig vorübergeht" (Hebräer 12,15). Wo liegt hier unsere Verantwortung als Christen gegenüber den Menschen, denen wir täglich begegnen? Überlegen Sie, wie Sie ein Bote der Gnade für die Menschen werden, denen Sie tagsüber begegnen, zum Beispiel:
- Fremden, denen Sie auf der Straße, in einem Geschäft etc. nur kurz begegnen;
- Ihrer Familie;
- Freunden, die Gott nicht kennen;
- Kollegen;
- flüchtigen Bekannten, die Sie zwar regelmäßig sehen, aber nicht näher kennen (dem Postboten, dem Verkäufer an der Supermarktkasse etc.).

Und was ist mit Ihnen?

1. Inwiefern vertieft oder bekräftigt Kapitel 1 Ihr Verständnis einer „aktiven" Gnade?
2. Sprechen Sie über die Bedeutung des Wortes „Gnade" in unserem Sprachgebrauch. Inwiefern wird dadurch die Vorstellung einer „kümmerlichen" Gnade verstärkt?
3. Denken Sie einen Augenblick über Ihren Alltag nach. Welche Rolle spielt die Gnade bei Ihren Entscheidungen, Ihren Beziehungen und Ihren Gedanken?
4. Haben Sie das Gefühl, Sie müssten Ihr Leben erst in den Griff bekommen, damit Gott Sie annimmt? Sorgen Sie

dafür, dass die anderen Ihre guten Taten sehen? Haben Sie ein schlechtes Gewissen, wenn Sie einmal nicht Bibel gelesen haben? Oder halten Sie an alten Gewohnheiten, die Sie ablegen sollten, fest, weil Sie glauben, dass Gott Ihnen das schon vergeben wird?

5. Max Lucado sagt, dass von allen Religionen nur das Christentum den Anspruch erhebt, „ihr Begründer lebe in seinen Nachfolgern". Warum ist dieser Unterschied so wichtig? Welche Auswirkungen hat diese Tatsache auf Menschen, die Jesus nachfolgen wollen?
6. Fällt Ihnen jemand ein, dessen Leben von Gnade „getränkt" ist? Welche Eigenschaften dieser Person würden Sie auch gerne in Ihrem eigenen Leben sehen?
7. Welche Auswirkungen hätte es auf Ihre Familie, Ihre Freunde, Ihre Arbeit, Ihr Zuhause und andere Menschen, wenn Sie zuließen, dass Gott bei Ihnen eine Herz-OP durchführt? Wenn er den Himmel in Sie hineinlegte? Was würde sich konkret für die Menschen in Ihrem Umfeld ändern?
8. Beschäftigen Sie sich einmal mit folgenden Fragen:
   - Hat die Gnade Sie verändert?
   - Hat sie Sie geformt?
   - Hat sie Sie gestärkt?
   - Hat sie Sie ermutigt?
   - Hat sie Sie sanft gemacht?
   - Hat sie Sie am Schlafittchen gepackt und kräftig durchgeschüttelt?

Gebet

Gnädiger Vater, ich kann nichts vor dir verbergen – weder meine schlechten Gewohnheiten noch meine unguten Beziehungen oder verborgenen Sünden. Aber du willst mich aus dem Schlamassel ziehen und mich durch deine

Gnade von all dem befreien. Ich weiß, dass du mein steinernes Herz nehmen und mir dafür ein neues, von Gnade erfülltes Herz geben willst. Herr, hilf mir, dass ich es annehmen kann. Hilf mir, mein vermasseltes Leben hinter mir zu lassen, damit ich die Hände frei habe, um alle deine Segnungen anzunehmen. Amen.

Von Gnade bestimmt leben

Gibt es einen Bereich in Ihrem Leben, den Sie Gott noch vorenthalten? In dem die Gnade noch nicht Einzug gehalten hat? Haben Sie beim Nachdenken über diese Fragen ein Problem entdeckt, dem Sie sich widmen sollten? Nehmen Sie sich vor, diesen Teil Ihrer Persönlichkeit durch Gottes Gnade neu prägen zu lassen. Seien Sie offen für seine Führung, dann wird die Gnade Sie verändern.

Zwei: Der Gott, der sich herabbeugt

So können wir mit einem guten Gewissen vor Gott treten. Doch auch wenn unser Gewissen uns schuldig spricht, dürfen wir darauf vertrauen, dass Gott größer ist als unser Gewissen. Er kennt uns ganz genau.
1. Johannes 3,19–20

Kurz zusammengefasst

In der Gegenwart Gottes, Satan zum Trotz, erhebt sich Jesus Christus zu Ihrer Verteidigung. Er übernimmt die Aufgabe des Priesters. ... Das ist die Frucht der Gnade: von Gott errettet, durch Gott auferstanden, an Gottes Seite. Begabt, zugerüstet, ausgesandt. Auf Nimmerwiedersehen, ihr Schuldgefühle: *Dumm. Unproduktiv. Begriffsstutzig. Schwätzer. Versager. Geizhals.* Nie wieder. Sie sind das, was er über Sie sagt: *Lebendig im Geist, mit einem Platz im Himmel, verbunden mit Gott. Ein Reklameschild der Gnade. Ein geliebtes Kind.* Das ist die „unendlich viel mächtigere Gnade" (Römer 5,20; NGÜ).

Satan ist sprachlos. Ihm geht die Munition aus.

Was die Bibel dazu sagt

1. Lesen Sie noch einmal Johannes 8,2–11. Was ist der fundamentale Unterschied zwischen Gnade und Gesetz?
2. Lesen Sie Römer 5,20, möglichst in 2 oder 3 verschiedenen Übersetzungen. In der Neuen Genfer Übersetzung wird Gottes Gnade hier z. B. als „unendlich viel mächtiger" beschrieben. Inwiefern ist die Begegnung zwischen

Jesus und der Ehebrecherin ein Beispiel für diese unendlich viel mächtigere Gnade? Haben Sie diese Gnade schon einmal erlebt? Haben Sie sie im Leben anderer Menschen gesehen? Erzählen Sie davon.
3. Lesen Sie Römer 8,1–4. Obwohl uns Paulus in diesen Versen versichert, dass es für diejenigen, die mit Christus verbunden sind, keine Verdammnis mehr gibt, fällt es uns manchmal schwer, unser schlechtes Gewissen und unsere Schuldgefühle loszulassen. Warum? Wie können wir Schuldgefühle ablegen und stattdessen in der Gewissheit, dass uns Jesu Gnade sicher ist, Ruhe finden?
4. Was ist der Unterschied zwischen einem Schuldbewusstsein, das von Gott kommt, und zerstörerischen Anschuldigungen von Satan? (Lesen Sie dazu 2. Korinther 7,11.) Wie können wir erkennen, wo unsere Schuldgefühle herkommen?
5. Lesen Sie Psalm 86. Was sagen diese Verse über den Zusammenhang zwischen Gnade und Vergebung? Inwiefern ermutigt Sie dieser Psalm, Gott um Vergebung und Hilfe zu bitten?

Und was ist mit Ihnen?

1. Wie spricht uns unser Gewissen schuldig? Warum sind die Stimmen, die uns verurteilen, lauter als der Ruf der Gnade?
2. Was bedauern Sie in Ihrem Leben am meisten? Wo holen Sie sich neuen Mut und Hoffnung, wenn Sie in den Sorgen um diese Sache gefangen sind?
3. Gott weiß alles über Sie, jedes kleinste bisschen. Aber das ändert nichts an der Tatsache, dass er Sie mit seinem Wesen, seiner Gnade erfüllt und Ihnen eine einzigartige Bestimmung gegeben hat. Was ist Ihre Bestimmung? Warum hat Gott beschlossen, Sie mit seinem Wesen zu

erfüllen? Wo glättet Gottes Gegenwart Ihre Ecken und Kanten?
4. Erklären Sie, was Max Lucados Aussage „Gnade ist ein Gott, der sich herabbeugt" mit diesem Kapitel zu tun hat. Was bedeutet das für diejenigen, die Jesus nachfolgen?
5. Nennen Sie andere Beispiele, bei denen sich Jesus „herabgebeugt" hat, um jemandem Gnade zu erweisen. Was verraten uns diese Beispiele über das Wesen der Gnade?
6. Stellen Sie sich einmal vor, wie das Leben wäre, wenn Sie sich keine Sorgen über Ihre Vergangenheit machen müssten. Stellen Sie sich vor, Sie wachen morgen früh auf, ohne etwas zu bedauern, ohne sich zu schämen und ohne das Gefühl, versagt zu haben. Was würde das an Ihrem Alltag, Ihren Entscheidungen, Ihrem Handeln und Ihren Zielen ändern?
7. Für die Menschen in Ihrem Umfeld sind Sie ein wandelndes Beispiel für Gottes Gnade. Welche Botschaft vermitteln Sie derzeit denen, die Sie sehen? Müssen Sie irgendetwas ändern, sein lassen, vergeben, damit Gottes Gnade zur zentralen Botschaft Ihres Lebens werden kann?
8. Was heißt es, dass Gott „größer ist als unser Gewissen"? Warum sollte die Tatsache, dass Gott uns ganz genau kennt, uns zuversichtlich machen?

Gebet

Wir sind zwar frei von jeder Verurteilung, aber die Bibel sagt auch, dass wir Gott unsere Schuld bekennen sollen. Durch dieses Sündenbekenntnis kann das Licht der Gnade Gottes in unser Leben dringen. Nehmen Sie sich Zeit, Gott von den Anschuldigungen gegen Sie zu erzählen, und nehmen Sie seine Vergebung und das neue Leben an.

Von Gnade bestimmt leben

Schauen Sie einmal in Ihren Kalender. Sind Sie zu beschäftigt, um Gottes Gnade genießen zu können? Welche Ihrer täglichen Aktivitäten könnten Sie streichen, um sich Zeit zu nehmen, sich in seiner Liebe zu aalen? Holen Sie einmal tief Luft, und treffen Sie ein paar Entscheidungen. Es wird sich lohnen.

Drei: Ein glücklicher Tausch

Der Herr aber lud alle unsere Schuld auf ihn.
Jesaja 53,6

Kurz zusammengefasst

Sünde ist kein bedauerliches Missgeschick oder ein gelegentlicher Ausrutscher. Die Sünde plant einen Staatsstreich gegen Gott. Die Sünde stürmt den Palast, beansprucht Gottes Thron für sich und widersetzt sich seiner Autorität. Die Sünde ruft: „Ich will mein Leben selbst bestimmen! Ich brauche dich nicht!" Die Sünde erklärt Gott, er solle verschwinden, sich vom Acker machen und nie wieder zurückkommen. Sünde ist Aufstand auf höchster Ebene, und Sie sind der Aufständische. Ich auch. Und das gilt auch für jeden einzelnen Menschen, der je das Licht der Welt erblickt hat.

Was die Bibel dazu sagt

1. Lesen Sie in Markus 15,6–10, Lukas 23,4–7 und Johannes 18,28–31 nach, wie Pilatus mit Jesus umgegangen ist. Warum wollte Pilatus Jesus freilassen? Was verrät uns das über Jesu Charakter?
2. Lesen Sie Lukas 23,18–25. Beschreiben Sie Barabbas' Charakter und seine Vergehen. Warum wurde er freigelassen?
3. Was sagen die folgenden Verse über den (sündigen) Zustand der Menschen aus?
   - Lukas 19,10
   - Johannes 3,36
   - Epheser 2,1
   - Johannes 3,16
   - 2. Korinther 4,3–4
   - Epheser 2,12

4. Was sagt uns Lukas 19,12–14 über Jesu Einstellung zur Sünde?
5. Warum wurde die Strafe für unsere Schuld durch das, was Jesus für uns getan hat, aufgehoben (Römer 6,20–23)?

Und was ist mit Ihnen?

1. Wer oder was ist im Moment in Ihrem Leben König? Was tun Sie, um das Geschenk der Gnade jeden Tag zu würdigen?
2. Max Lucado schreibt: „Sünde ist kein bedauerliches Missgeschick oder ein gelegentlicher Ausrutscher. Die Sünde plant einen Staatsstreich gegen Gott." Denken Sie einmal über die Dinge nach, mit denen Sie oft zu kämpfen haben. Welche halten Sie für gelegentliche Ausrutscher und welche sind ein Zeichen dafür, dass da jemand einen Staatsstreich gegen Gott plant? Wo liegt Ihrer Meinung nach der Unterschied? Wie sieht Gott das?
3. Weil Gott wusste, dass wir sündigen, hat er einen Plan geschmiedet, um uns vor dem Scharfrichter zu retten, so wie Barabbas von Pilatus begnadigt wurde. Wie sieht Ihre emotionale Reaktion auf diese Wahrheit aus? Inwiefern motiviert oder inspiriert Sie das ganz praktisch?
4. Haben Sie die Wahrheit, dass Christus für diese *Welt* gestorben ist, angenommen, gehen aber der Erkenntnis aus dem Weg, dass Christus für *Sie* ganz persönlich gestorben ist? Wenn Sie Ihre eigene Schuld und die Notwendigkeit zur Vergebung bedenken, sehen Sie Jesus dann in einem neuen Licht, nachdem Sie dieses Kapitel gelesen haben?
5. Gnade hat einen hohen Preis. Der Apostel Paulus schreibt in seinem Brief an die Römer, dass wir für die

Sünde tot und nicht mehr ihre Sklaven sind. Wir haben es dann mit „billiger Gnade" zu tun, wenn wir das ungeheure Ausmaß dieses Opfers missverstehen. Wie kann das Geschenk der Gnade durch diese Fehlinterpretation missbraucht, getrübt oder gemindert werden?
6. Wurde Ihnen schon einmal ein Fehler in die Schuhe geschoben, den eigentlich eine andere Person begangen hatte? Was war das für ein Gefühl? Wie haben Sie auf diese Ungerechtigkeit reagiert?
7. Gab es schon einmal eine Phase in Ihrem Leben, in der Sie an Gottes Gnade gezweifelt haben? Warum? Wodurch wurde Ihr Glaube wieder gestärkt?
8. „Glücklich sind alle, denen Gott ihre Sünden vergeben … hat!", schreibt der Psalmist (Psalm 32,1). Können Sie beschreiben, was sich durch Gottes Vergebung in Ihrem Leben verändert hat?

Gebet

Himmlischer Vater, heiliger Sohn, der Preis, den du zahlen musstest, um mir das Geschenk deiner Gnade zu machen, war hoch. Und das vergesse ich zu oft, denn meine Sünde verspottet dein Geschenk. Bitte vergib mir meine Selbstsucht. Lass mir neu bewusst werden, welches Geschenk du mir da gemacht hast, damit ich wieder ganz neu darüber staunen kann. Schenke mir die Kraft und Weisheit, so zu leben, dass mein Leben deine Liebe zu mir widerspiegelt, damit andere dich und nicht mich sehen. Amen.

Von Gnade bestimmt leben

Nehmen Sie sich in der folgenden Woche einmal eine kleine Auszeit. Schaufeln Sie sich am Wochenende oder

oder unter der Woche einmal ein paar Stunden frei, um Zeit mit Jesus zu verbringen. Lesen Sie die Geschichte der Kreuzigung einmal so, als würden Sie sie zum ersten Mal lesen. Verbringen Sie Zeit im Gebet, und denken Sie dabei über das nach, was Jesus für Sie getan hat. Nehmen Sie sich vor, sich für den Rest der Woche auf sein Geschenk zu konzentrieren, damit andere Gott besser kennenlernen, weil sie Sie kennen.

Vier: Kommen Sie zur Ruhe

*Kommt alle her zu mir, die ihr euch abmüht und
unter eurer Last leidet! Ich werde euch Ruhe geben.*
Matthäus 11,28

Kurz zusammengefasst

Jene zweite Befreiung übertraf die erste noch. Diesmal schickte Gott nicht Mose, sondern Jesus. Und er schlug nicht den Pharao, sondern Satan. Und nicht mit zehn Plagen, sondern mit einem einzigen Kreuz. Diesmal öffnete sich nicht das Rote Meer, sondern das Grab, und Jesus führt jeden, der ihm folgen will, ins „Nie-wieder-Land": nie wieder peinlichst genau irgendwelche Gesetze halten. Nie wieder um Gottes Anerkennung ringen. „Ihr dürft zur Ruhe kommen", sagte er ihnen.

Was die Bibel dazu sagt

1. Lesen Sie die Kapitel 15 und 16 von 2. Mose. Was hat sich in der Zeit, die zwischen den Ereignissen liegt, die in diesen Kapiteln beschrieben werden, für die Israeliten geändert? Was ließ sie vergessen, dass Gott ihnen Ruhe schenken wollte?
2. Lesen Sie Galater 2–3. Inwiefern verhielten sich die ersten Christen genauso wie die Israeliten, die Ägypten hinter sich gelassen hatten? Was sagt Paulus dazu?
3. Lesen Sie die folgenden Verse, und finden Sie heraus, was sie darüber aussagen, wie wir in den Himmel kommen.
   - Römer 6,23
   - Epheser 2,8
   - Galater 3,13
   - 1. Johannes 5,11

4. Lesen Sie Matthäus 11,28 und Hebräer 13,9. Wie schenkt Gott uns Kraft, wenn wir müde sind? Hat diese Verheißung irgendeinen Haken? Steht in diesem Vertrag irgendwo etwas Kleingedrucktes? Haben Sie schon einmal erlebt, wie Gott Ihnen in einer schwierigen Zeit Kraft geschenkt hat? Wenn ja, erzählen Sie, was passiert ist.
5. Kann man sich den Zutritt zu Gottes Reich verdienen? Lesen Sie dazu Galater 2,21. Wie gehen Sie mit dieser Tatsache um?

Und was ist mit Ihnen?

1. Was macht Sie müde? Worauf müssen Sie jetzt gerade Ihre Aufmerksamkeit richten? Was hat das mit Ihrem geistlichen Leben zu tun?
2. Welcher Aspekt unserer Kultur veranlasst uns zu der Annahme, man könne sich die Errettung „verdienen"? Wie können wir unsere Einstellung dazu ändern?
3. Bewertet Gott unsere Verdienste anhand eines Punktesystems, und wir können uns seine Gunst verdienen, wie sich ein Pfadfinder Abzeichen verdient? Welche Verdienste tragen Sie wie Abzeichen, damit alle sie sehen?
4. Fällt es Ihnen schwer, auf Gottes Gnade zu vertrauen? Warum oder warum nicht?
5. Was bedeutet Ruhe in diesem Zusammenhang?
6. Inwiefern unterscheidet sich das Leben von Christen, die in Gottes Gnade ruhen, vom Leben der Christen, die sie sich verdienen wollen? Was bedeutet es praktisch, ganz auf Gottes Gnade zu vertrauen?
7. Welche theologischen Probleme treten auf, wenn wir glauben, wir müssten gut sein, um Gottes Wohlwollen zu erlangen?
8. Was ist geistliche Müdigkeit? Haben Sie sich schon einmal in geistlicher Hinsicht müde gefühlt? Inwiefern ist

geistlich zur Ruhe zu kommen eine heilige Aufgabe? Wie kann man die Müdigkeit hinter sich lassen und die Ruhe genießen, die Gott schenken will?

Gebet

Gott, danke für das unermessliche Geschenk deiner Gnade. Du hast deinen Sohn an meiner Stelle geopfert, damit ich nicht den Preis für meine Sünde zahlen muss. Das hast du schon für mich getan. Deine Gnade ist alles, was ich brauche, und alles, was du von mir willst, ist, dass ich sie annehme. Ich weiß, dass ich niemals gut genug sein oder genug tun kann, um dein Geschenk zu verdienen. Vergib mir, wenn ich wieder einmal auf die dumme Idee komme, ich müsse mich dafür abstrampeln. Damit werte ich nur dein Opfer ab. Erinnere mich stattdessen daran, dass nur du mich retten kannst. Du bist meine Zuversicht und meine Rettung. Amen.

Von Gnade bestimmt leben

Denken Sie einmal an Situationen, in denen Sie die Freude erlebt haben, anderen zu dienen, ohne Anerkennung oder eine Belohnung zu erwarten. Erstellen Sie eine Liste von Begebenheiten (nur für sich selbst), bei denen jemand anderes sich um Sie gesorgt oder Ihnen geholfen hat, ohne einem Dritten davon zu erzählen. Denken Sie über andere Möglichkeiten nach, von Gnade bestimmt zu leben – nicht, um sich Gottes Zustimmung zu verdienen, sondern vielmehr, weil das Geschenk seiner Gnade Menschen motiviert, ihrerseits Gnade zu verschenken. Nehmen Sie sich diese Woche vor, Gnade zu verschenken, still und heimlich. Und dann danken Sie Gott für die Gelegenheit dazu.

Fünf: Nasse Füße

Seid vielmehr freundlich und barmherzig, und vergebt einander, so wie Gott euch durch Jesus Christus vergeben hat.
Epheser 4,32

Kurz zusammengefasst

Gnade ist nicht blind. Sie sieht die Verletzungen sehr genau. Aber die Gnade beschließt, Gottes Vergebung noch genauer zu sehen. Sie lässt sich nicht von Verletzungen das Herz vergiften.

Was die Bibel dazu sagt

1. Lesen Sie Johannes 13. Warum hat Jesus seinen Jüngern die Füße gewaschen? Hatten es die Jünger Ihrer Meinung nach verdient, dass er ihre Füße wusch? Warum? Warum nicht? Inwiefern spiegelt dieses Ereignis wider, dass Jesus der Herr ist, aber auch ein Diener? Wie könnte man diesen alten Brauch auf die Gläubigen heute anwenden? Was können wir von dieser Geschichte lernen?
2. Welche Anweisungen hat Jesus seinen Jüngern in Johannes 13,14–15 gegeben? Was wäre die praktische Anwendung daraus für uns heute?
3. In welchem Zusammenhang stehen „Vergebung erfahren" und „Vergebung gewähren"? Warum ist das so wichtig? Lesen Sie auch Matthäus 18,21–35, Lukas 17,3–4 und Kolosser 3,13.
4. Inwiefern klingt in 1. Johannes 1,5–10 das Beispiel von Jesus und den Jüngern an?

5. Lesen Sie 1. Johannes 4,7–21. Was haben diese Verse mit vergeben und dienen zu tun? Wer ist unser Vorbild?

Und was ist mit Ihnen?

1. Jesus hat demütig die Füße der Männer gewaschen, die ihm abwechselnd nachfolgten, an ihm zweifelten, ihn liebten und ihn verrieten. Als er den Jüngern die Füße wusch, sagte Jesus: „Ich habe euch damit ein Beispiel gegeben, dem ihr folgen sollt. Handelt ebenso!" (Johannes 13,15). Überlegen Sie, wer Sie verletzt hat oder Ihnen untreu war. Sind Sie bereit, dieser Person in Liebe zu dienen, so wie Jesus? Wie könnte es ganz praktisch aussehen, dass Sie dieser Person „die Füße waschen"?
2. „Die meisten Menschen lassen ihren Hass auf kleiner Flamme weiterköcheln." Trifft diese Aussage auf Sie zu oder traf sie früher auf Sie zu? Was hat Sie veranlasst, so zu empfinden? Was war die Lösung?
3. Was passiert mit Menschen, die ständig um ihre Verletzungen und ihren Zorn kreisen? Beschreiben Sie die Entwicklung.
4. Jesus war bereit, denen zu dienen, die an ihm zweifelten und ihn im Stich ließen. Wenn wir nicht bereit sind, denen zu dienen, die uns unrecht getan haben, was sagt das über unser Bild von uns selbst?
5. Hat Sie Ihr Verlangen nach Gerechtigkeit früher einmal daran gehindert zu vergeben? Inwiefern? Was kam dabei heraus?
6. Ist Ihnen beim Lesen dieses Kapitels und beim Durcharbeiten der Fragen jemand eingefallen, dem Sie vergeben sollten? Was werden Sie tun, um den Zorn, an dem Sie festhalten, loszulassen?
7. Sind Ihre eigenen Sünden für Sie schwerwiegender als das Unrecht, das man Ihnen angetan hat? Was passiert,

wenn Sie Ihre Aufmerksamkeit mehr auf Ihre eigenen Fehler richten? Und was passiert, wenn Sie sich auf das Unrecht konzentrieren, das Ihnen angetan wurde?
8. Wie können wir unsere Sünden in einem anderen Licht sehen – in dem Licht von Gottes unaufhörlicher Gnade?

Gebet

Herr, gnädiger Vater, du bist vom Himmel herabgekommen und hast mich mit deiner Vergebung überschüttet. Früher ertrank ich so manches Mal in meiner Schuld, heute bade ich in deiner Gnade. Wann immer meine „gerechte Empörung" aufflackert, da zeige mir, wo ich selbst schuldig geworden bin. Lass die Dankbarkeit für das unermessliche Geschenk deiner Gnade größer sein als mein Wunsch nach Rache. Erinnere mich daran, wie hoffnungslos verloren ich ohne dich war, damit ich deine großartige Gnade mit anderen teilen kann. Amen.

Von Gnade bestimmt leben

Achten Sie diese Woche einmal genau auf das, was Sie sagen. Jedes Mal, wenn Sie anfangen, über jemanden zu murren oder sich zu beklagen, denken Sie daran, dass Ihnen selbst von einem gnädigen Gott vergeben wurde. Bitten Sie Gott, Ihnen zu zeigen, wie Sie in dieser Situation oder Beziehung seine Gnade widerspiegeln können. Folgen Sie seiner Führung, und freuen Sie sich, wenn Sie merken, dass Dankbarkeit Ihr Leben erfüllt.

Sechs: Gnade vor dem Durchbruch

Christus kam ja zu einer Zeit, als wir der Sünde noch hilflos ausgeliefert waren, und er starb für uns, die wir ohne Gott lebten. Selbst für einen guten Menschen würde kaum jemand sterben – am ehesten noch für einen herausragenden Menschen. Gott dagegen beweist uns seine große Liebe dadurch, dass er Christus sandte, damit dieser für uns sterben sollte, als wir noch Sünder waren.
Römer 5,6–8 (NLB)

Kurz zusammengefasst

Gnade ist, wenn Gott mit einem Blitzen in den Augen in Ihre Welt kommt und Ihnen ein Angebot unterbreitet, dem Sie kaum widerstehen können. „Setz dich einen Augenblick hin. Ich kann aus deinem Chaos Wunderbares tun."

Was die Bibel dazu sagt

1. Lesen Sie die folgenden Verse über die Erlösung, und denken Sie über ihre Bedeutung nach: 2. Mose 6,6, 3. Mose 25,24–25, Psalm 25,22.
2. Der Löser spielt in Ruts Geschichte eine wichtige Rolle. Lesen Sie noch einmal Rut 2,20; 3,9.12–13 und 4,14, um die Bedeutung dieser Aufgabe für die Frauen besser zu verstehen. Inwiefern ist Jesus der Löser für diejenigen, die ihm nachfolgen? Lesen Sie dazu 1. Korinther 1,30 und 1. Petrus 1,18–19.
3. Was erfahren wir aus der Bibel in Psalm 107,2, Jesaja 35,10 und Jesaja 62,12 über die Menschen, die Jesus gerettet hat?

4. Wie wird in den folgenden Versen die Erlösung gefeiert?
   - 2. Korinther 9,8
   - 2. Timotheus 2,1
   - Titus 3,4–7
5. Mit welchen Worten beschreibt die Bibel Erlöser? Lesen Sie Psalm 18,2 und Psalm 19,14.

Und was ist mit Ihnen?

1. Wie haben diese biblischen Personen anderen Erbarmen bzw. Gnade erwiesen?

	Erbarmen	Gnade
Rut – Noomi		
Noomi – Rut		
Boas – Rut		
Rut – Boas		

2. Haben Sie schon einmal erlebt, wie jemandem Erbarmen widerfahren ist? Was ist passiert? Wo hat Gott Ihnen Erbarmen gezeigt?
3. Haben Sie die erlösende Liebe Jesu in Ihrem Leben erfahren? Wenn ja, wie?
4. Wenn Sie wissen, dass wir alle gesündigt haben und die Herrlichkeit Gottes verloren haben (Römer 3,23; EÜ), was schenkt Ihnen dann die Gewissheit, dass Sie einen Platz im Himmel sicher haben?
5. Max Lucado schreibt: „Suchen Sie sich Ihr eigenes Kornfeld, und fangen Sie an zu sammeln. Seien Sie nicht länger passiv und verzweifelt. Runter mit den Trauerkleidern. Riskieren Sie etwas; ergreifen Sie die Initiative." Wo ist Ihr Kornfeld? Wie wollen Sie den Rat des Autors in den nächsten Tagen umsetzen?
6. Wenn Sie die kraftspendende, lebensverändernde Gnade Gottes tatsächlich annehmen würden, was würde das

morgen, nächsten Monat, nächstes Jahr in Ihrem Leben verändern? Welche Veränderungen würden Sie in Ihrem geistlichen Leben erwarten?
7. Max Lucados Geschichte der Müllsammler von Gramacho zeigt anschaulich, wie Gott aus dem Müll unseres Lebens ein wunderbares Kunstwerk seiner Gnade machen kann. Was bringt den Gott des Himmels dazu, die Zerbrochenen und Verzweifelten anzunehmen? Haben Sie – bildlich gesprochen – schon einmal auf der Müllkippe gelebt? Wie hat Gott Sie von dort gerettet?
8. Durch Rut hat Gott Obed, Jesse, David und schließlich auch Jesus das Leben geschenkt. Könnte es möglich sein, dass es in Ihrem Leben nicht nur um Sie geht? Wie würde es Ihre Sicht des Lebens verändern, wenn Sie wüssten, dass Gott einen größeren Plan hat, der nicht nur Ihr Leben umfasst, sondern auch das von Menschen, die nach Ihnen kommen?

Gebet

Himmlischer Vater, war ich in meinem Selbstmitleid gefangen? Habe ich es mir in meiner Trauerkleidung zu bequem gemacht? Zögere ich, sie abzulegen und deine Gnade anzunehmen? Schenke mir den Mut, die Initiative zu ergreifen, um deiner Güte und Gnade nachzugehen. Amen.

Von Gnade bestimmt leben

Gehen Sie noch einmal zu Frage Nr. 4 im Abschnitt „Und was ist mit Ihnen?" zurück. Denken Sie daran, dass Sie ein Kind Gottes sind und dass er liebevolle Pläne für Sie hat. Er will durch seine Gnade Unglaubliches in Ihrem Leben bewirken. Notieren Sie sich Gründe, warum Sie vielleicht das Abenteuer von Gottes Gnade noch nicht begonnen haben. Nehmen Sie dann einen dicken Stift, und schreiben Sie quer über die Liste: „Gottes Gnade ist alles, was ich brauche!" Hängen Sie den Zettel an einer Stelle auf, wo Sie ihn häufig sehen, und nehmen Sie sich vor, Gottes Aufforderung anzunehmen, seine Gnade zu erleben.

Sieben: Mit Gott ins Reine kommen

Wenn wir behaupten, sündlos zu sein, betrügen wir uns selbst. Dann ist kein Fünkchen Wahrheit in uns. Wenn wir aber unsere Sünden bekennen, dann erfüllt Gott seine Zusage treu und gerecht: Er wird unsere Sünden vergeben und uns von allem Bösen reinigen.
1. Johannes 1,8–9

Kurz zusammengefasst

Sünden bekennen heißt, sich radikal auf die Gnade zu verlassen. Es ist das Bekenntnis, dass wir auf Gottes Güte vertrauen. „Was ich getan habe, war schlecht", gestehen wir, „aber deine Gnade ist größer als meine Sünde, deshalb bekenne ich sie dir." Wenn wir nur ein schwaches Verständnis von Gnade haben, wird auch unser Bekenntnis nur schwach sein: widerwillig, zögerlich, voller Entschuldigungen und Einwände und voller Angst vor Strafe. Aber wer die Größe der Gnade kennt, bekennt ehrlich.

Was die Bibel dazu sagt

1. In 1. Johannes 1,9 heißt es: „Wenn wir aber unsere Sünden bekennen, dann erfüllt Gott seine Zusage treu und gerecht: Er wird unsere Sünden vergeben und uns von allem Bösen reinigen." Inwiefern schenkt uns dieses Gereinigtwerden die Freiheit und ermöglicht es uns, unsere Beziehung zu Gott und zu anderen zu vertiefen?
2. Was geschieht den nachfolgenden Bibelversen zufolge mit einem Menschen, der seine Schuld bekennt (bzw. nicht bekennt)?

- 3. Mose 26,40–42
- Psalm 32,3–5
- Jakobus 5,16
- Ijob 33,27–28
- Sprüche 28,13
- Apostelgeschichte 19,18–20

3. In Psalm 139,23–24 bittet David Gott, ihn zu durchforschen, ihm ins Herz zu sehen und seine Gedanken und Gefühle zu prüfen, um zu sehen, ob er Gefahr läuft, Gott untreu zu werden. Wie macht man das?
4. Lesen Sie noch einmal Apostelgeschichte 19,18–20. Warum ist das Schuldbekenntnis nach Aussage dieser Passage gut für die Gemeinschaft?
5. Lesen Sie Lukas 18,9–14. Was lehrt uns diese Geschichte darüber, wie man seine Schuld bekennt?

Und was ist mit Ihnen?

1. Max Lucado beschreibt ein schwaches Sündenbekenntnis, das „widerwillig, zögerlich, voller Entschuldigungen und Einwände und voller Angst vor Strafe" ist. Hat sich schon einmal jemand so bei Ihnen für etwas entschuldigt? Was haben Sie dabei empfunden?
2. Haben Sie sich schon einmal bei jemandem auf diese Weise entschuldigt oder etwas gestanden? Warum war Ihr Bekenntnis „schwach"?
3. Welchen Einfluss hat Ihr Verständnis von Gnade auf Ihre Bereitschaft, Ihre Schuld zu bekennen? Wie wirkt das
   - emotional
   - verstandesmäßig
   - intellektuell
   - anderweitig

   auf Sie?
4. Da Gott Ihre Schuld ohnehin schon kennt: Warum ist dann das Schuldbekenntnis noch wichtig?
5. Genau wie Li Fuyan, der, ohne es zu wissen, eine Messerklinge im Kopf stecken hatte, tragen wir alle tief in uns Wunden, die uns daran hindern, voll und ganz aus Gottes Gnade zu leben. Gibt es etwas in Ihrem Leben,

das tief vergraben ist und Ihnen immer noch Schmerzen bereitet? Was könnte diese Wunde heilen?
6. Sind Sie bereit, Gott mit seiner Gnade an Ihren Wunden wirken zu lassen? Wie wollen Sie Gott ganz praktisch an die schmerzhaftesten Stellen in Ihrem Leben lassen?
7. Glauben Sie, dass Sie selbst strenger mit sich sind als Gott? Oder nachgiebiger? Überlegen Sie, welche Anforderungen Sie an sich selbst stellen. Und welche Anforderungen stellt Gott?
8. Der Autor schreibt: „Selbstprüfung ohne Gottes Hilfe führt oftmals zum Leugnen oder zur Scham." Warum ist das so?

Gebet

Statt an dieser Stelle ein vorformuliertes Gebet nachzusprechen, sollten Sie diesmal die Gelegenheit nutzen und Gott die Dinge bekennen, die Ihnen Ihre Freiheit (und Ihren Schlaf) rauben – vielleicht eine Sünde, die Sie kürzlich begangen haben, oder eine altbekannte Schuld, die schon lange zurückliegt. Nehmen Sie dann seine Vergebung dankbar an.

Von Gnade bestimmt leben

Nachdem Sie Gott bekannt haben, was er ohnehin schon wusste, kann es angebracht sein, die Schuld auch einem Freund oder der betroffenen Person zu bekennen. Versuchen Sie nicht, irgendwelche Gründe vorzuschieben oder sich zu rechtfertigen. Geben Sie einfach zu, dass das, was Sie getan haben, falsch war, bitten Sie um Vergebung, und lassen Sie Gott Raum, die Beziehung wieder in Ordnung zu bringen.

Acht: Stoßen Sie die Angst von ihrem Thron

Der Herr ist dir gnädig, wenn du um Hilfe schreist;
er wird dir antworten, sobald er dich hört.
Jesaja 30,19 (EÜ)

Kurz zusammengefasst

Rettende Gnade errettet uns von unseren Sünden. Gnade, die uns trägt, begegnet uns in unserer Not und gibt uns Mut, Weisheit und Stärke. Sie überrascht uns ... und schenkt uns reichlich neuen Glauben. Gnade, die trägt, verspricht nicht, dass es keine Schwierigkeiten gibt, aber sie verspricht uns, dass Gott bei uns ist.

Was die Bibel dazu sagt

1. Lesen Sie Hebräer 13,5. Was sagt der Verfasser des Hebräerbriefes über das, was passiert, wenn man vergisst, dass Gottes Gnade genug ist? Was sind die Folgen?
2. Lesen Sie die nachfolgenden Bibelstellen, und achten Sie darauf, wie riesig und umfassend Gottes Gnade und Erbarmen für uns sind.
   - Römer 5,1–2
   - Römer 8,32
   - Epheser 1,3
   - Epheser 2,4–7
3. Was sagte Jesus zum Thema „genug"? Lesen Sie dazu Matthäus 5,6, Johannes 4,14 und Johannes 6,35.
4. Was bedeutet „alles" in 2. Korinther 9,8?
5. Der Apostel Paulus schreibt: „Ihr alle habt Anteil an der Gnade, die Gott mir damit erweist" (Philipper 1,7). Welche Aspekte der Gnade, die trägt, werden in den nachfolgenden Versen erwähnt (Verse 9–11)?

Und was ist mit Ihnen?

1. Wie kann das Wissen, dass Gottes Gnade alles ist, was Sie brauchen, Ihnen dabei helfen, die Angst in Ihrem Leben zu überwinden?
2. Hat der Glaube eines anderen Christen Sie schon einmal angespornt, Gott auch in schweren Zeiten zu vertrauen? Inwiefern?
3. Paulus drängt uns, all unsere Sorgen zum Kreuz zu bringen. Erstellen Sie eine Liste mit allen Situationen, die Ihnen Angst machen. Fragen Sie sich dann bei jedem Punkt der Liste: Ist Jesus bei dieser Sache bei mir? Beten Sie dann für alle diese Ängste, und führen Sie sich dabei immer wieder Römer 8,32 vor Augen.
4. Erstellen Sie jetzt eine Liste mit all den Dingen, bei denen Gottes Gnade gestern, vergangene Woche, letzten Monat etc. genügt hat. Loben Sie ihn dafür, dass er Ihnen Kraft gegeben und Sie nicht vergessen hat.
5. Was ist der Unterschied zwischen „rettender Gnade" und „tragender Gnade"? Ist es möglich, das eine ohne das andere zu erleben? Hängt irgendeine dieser Formen von Gnade in irgendeiner Weise von uns ab?
6. Warum brauchen wir Gottes Gnade, um Prüfungssituationen zu bestehen? Was würde passieren, wenn Gott in unserem Leben handeln würde, ohne uns aber gleichzeitig auch gnädig zu sein?
7. Wie können wir täglich aus Gottes Quelle der Gnade schöpfen?
8. Welche Herausforderungen haben Sie an Gottes Gnade zweifeln lassen? Was tun Sie, um sich ins Gedächtnis zu rufen, dass Gott alles in der Hand hat und Ihnen seine Gnade schenkt, und diese Gnade alles ist, was Sie brauchen?

Gebet

Jesus, manchmal habe ich das Gefühl, dass die Probleme des Lebens mich überwältigen. Dann vergesse ich, dass deine Gnade alles ist, was ich brauche. Ich reibe mich auf, um meine Probleme selbst in den Griff zu bekommen, anstatt in der Hoffnung zu ruhen, die du mir bietest. Erinnere mich jedes Mal, wenn ich auf meine Probleme fixiert bin, daran, meine Aufmerksamkeit auf dich zu richten, denn du bist größer als meine Ängste. Amen.

Von Gnade bestimmt leben

Denken Sie an ein Problem, das Sie im Moment haben. Ein Kind, das die Grenzen ignoriert, die Sie ihm setzen? Eine schwere Krankheit? Ein Bankkonto, das tief in den Miesen ist? Denken Sie darüber nach, wie Gott diese Situation gebrauchen könnte, um Ihnen seine Gnade ganz real zu zeigen. Was zeigt er Ihnen in diesem Moment durch diese schmerzhafte Erfahrung über sich selbst? Was könnte er vielleicht in einem halben Jahr bewirken, wenn Sie die Kontrolle abgeben und zulassen, dass seine Gnade in diese Situation hineinströmt? Lassen Sie Gott wirken, damit Sie zur Ruhe kommen.

Neun: Auf Wiedersehen, Geiz

Er wird euch dafür alles schenken, was ihr braucht, ja mehr als das. So werdet ihr nicht nur selbst genug haben, sondern auch noch anderen von eurem Überfluss weitergeben können.
2. Korinther 9,8

Kurz zusammengefasst

[Gott] verteilt seinen Segen nicht mit der Pipette, sondern mit dem Löschschlauch. Ihr Herz ist ein Plastikbecher, und Gottes Gnade ist das Mittelmeer. Sie können sie einfach nicht fassen. Also lassen Sie sie überfließen. Überlaufen. Überströmen. „Umsonst habt ihr empfangen, umsonst sollt ihr geben" (Matthäus 10,8; EÜ).

Was die Bibel dazu sagt

1. Lesen Sie in Lukas 19,1–10 die Geschichte von Zachäus. Was geschieht, dass dieser Mann sich verändert? Wie geht Jesus in dieser Geschichte mit den Kritikern um?
2. Wenn wir Zachäus als Beispiel nehmen: Muss ein Mensch erst Gutes tun, bevor er in den Genuss von Gottes Gnade kommt? Inwiefern motiviert es Sie zu guten Taten, wenn Sie die Gnade Gottes empfangen?
3. Was verspricht Gott denen, die Jesus treu nachfolgen (Matthäus 19,27–29)?
4. Was bewirkt jemand, der großzügig, aber ohne Liebe gibt, nach Aussage von Paulus in 1. Korinther 13,3?
5. Lesen Sie folgende Bibelstellen: Matthäus 6,2–4, Matthäus 10,8, Matthäus 19,21, Lukas 12,33. Was könnten

diese Anweisungen ganz praktisch für Sie jetzt und heute bedeuten?

Und was ist mit Ihnen?

1. Welche Person aus Chrysalis' Geschichte wären Sie am liebsten? Warum?
2. Welchen Zusammenhang sehen Sie zwischen Gnade und Großzügigkeit? Beschreiben Sie Ihre Reaktion, wenn Sie in Ihrer Umgebung Gnade erleben.
3. Wenn man die Herkunft des griechischen Wortes *epichoregeo* (wörtlich: einen Tanz anführen) bedenkt, was sagt das über Gottes Reaktion aus, wenn er uns seine Gnade schenkt? Was verrät das Geschenk seiner Gnade über ihn und sein Wesen?
4. Stellen Sie sich einmal vor, was im Himmel los ist, wenn Gott jemanden selbstlos geben sieht. Beschreiben Sie die Szene einmal.
5. Inwiefern sind Sie reich? Haben Sie viel Zeit für andere Menschen? Können Sie eine leckere Mahlzeit kochen? Haben Sie die Gabe des Gebens? Überlegen Sie, wie Sie die Gnade und die Gaben, die Gott Ihnen geschenkt hat, mit anderen teilen können.
6. In diesem Kapitel stellt der Autor einige gute Fragen, die wir beantworten müssen. Er schreibt: „Gibt es in Ihrem Leben jemanden, dem Sie sich weigern zu vergeben?" Wie beantworten Sie diese Frage? Wenn Sie mit Ja antworten: Haben Sie schon einmal erlebt, dass Gott Ihnen gnädig war? Würden Sie vor diesem Hintergrund die Sache noch einmal überdenken? Welche Schritte könnten Sie gehen, um dem Betreffenden zu vergeben?
7. Lucado schreibt auch: „Gönnen Sie anderen Gottes Güte nicht? Sind Sie sauer auf Gott, weil er ungleich belohnt?" Wie würden Sie diese Frage beantworten? An

welchen Punkten werden Sie am schnellsten neidisch oder eifersüchtig und was können Sie dagegen tun?
8. Und hier noch eine Frage, die der Autor stellt: „Wie lange ist es her, dass Sie jemanden mit Ihrer Großzügigkeit überrascht haben?" Und wie lange ist es her, dass Sie im Stillen großzügig waren, ohne auf Lob oder Dank zu hoffen? Wie könnten Sie diese Woche jemanden mit Ihrer Großzügigkeit überraschen?

Gebet

Himmlischer Vater, hilf mir, die Dinge loszulassen, die in unserer Gesellschaft so wichtig sind. Bring mir bei, spontan und voller Freude zu geben, und lass mich dabei immer daran denken, wie viel unverdiente Gnade du mir schenkst. Amen.

Von Gnade bestimmt leben

Zählen Sie auf, was Sie gut können – nähen, mit Geld umgehen, kochen, Listen erstellen, gärtnern, anderen etwas beibringen ... Und jetzt zählen Sie auf, welche Verpflichtungen Sie in der kommenden Woche haben. Nennen Sie eine Sache, die Sie in dieser Woche großzügiger tun können. Sind Sie Teil einer Fahrgemeinschaft? Bieten Sie den anderen an, einmal mehr zu fahren. Fahren Sie auf dem Weg zur Arbeit immer beim Bäcker vorbei? Dann bringen Sie einem Kollegen oder einer Kollegin auch ein Kaffeestückchen mit. Ist die Bedienung im Restaurant gestresst? Geben Sie ihr oder ihm reichlich Trinkgeld. Achten Sie auf die Menschen in Ihrem Umfeld, die sich abmühen, und halten Sie nach Gelegenheiten Ausschau, großzügig zu geben, so wie auch Jesus Sie beschenkt hat.

Zehn: Auserwählt

Schon vor Beginn der Welt, von allem Anfang an, hat Gott uns, die wir mit Christus verbunden sind, auserwählt. Wir sollten zu ihm gehören, befreit von aller Sünde und Schuld. Aus Liebe zu uns hat er schon damals beschlossen, dass wir durch Jesus Christus seine eigenen Kinder werden sollten. Dies war sein Plan, und so gefiel es ihm.
Epheser 1,4–5

Kurz zusammengefasst

Sie werden von Ihrem Schöpfer geliebt, und zwar nicht, weil Sie versuchen, es ihm recht zu machen, und Ihnen das gelingt, oder weil es Ihnen nicht gelingt und Sie sich dafür entschuldigen, sondern weil er Ihr Vater sein will.

Was die Bibel dazu sagt

1. Was sagt die Bibel darüber, wer wir sind?
   - Johannes 1,12
   - Johannes 15,15
   - Römer 8,1
   - 1. Korinther 6,17
   - 1. Korinther 12,27
   - Philipper 3,20
2. Was sagt Paulus in Römer 8,15–17 über unsere Rechte als Adoptivkinder Gottes?
3. Lesen Sie die Geschichte von Jakob in 1. Mose 32. Warum wollte er, dass Gott ihn segnete, nachdem er mit ihm gekämpft hatte?
4. Oft will uns eine leise Stimme einreden, wir seien wertlos, aber die Bibel widerspricht dem. Was sagt die Bibel über Gottes Gefühle für uns? (Lesen Sie Römer 8,38–39 und Zefanja 3,17.)

5. Paulus versichert in Galater 4,4–7: „Aber zu der von Gott festgesetzten Zeit sandte er seinen Sohn zu uns. Christus wurde wie wir als Mensch geboren und den Forderungen des Gesetzes unterstellt. Er sollte uns befreien, die wir Gefangene des Gesetzes waren, damit Gott uns als seine Kinder annehmen konnte. Weil ihr nun seine Kinder seid, schenkte euch Gott seinen Geist, denselben Geist, den auch der Sohn hat. Deshalb dürft ihr jetzt im Gebet zu Gott sagen: ‚Lieber Vater!' Ihr seid nicht länger Gefangene des Gesetzes, sondern Kinder Gottes. Und als Kinder Gottes seid ihr auch seine Erben, euch gehört alles, was Gott versprochen hat." Denken Sie einmal an den Moment, als Ihnen klar wurde, dass Gott Sie liebt. Denken Sie an Ihr Leben seit jenem entscheidenden Augenblick und daran, was das für Ihre Zukunft bedeutet.

Und was ist mit Ihnen?

1. Das Verständnis von Gottes Liebe zu Ihnen hängt eng mit Ihrer eigenen Identität zusammen. Wer sind Sie? Wie würden Sie sich als Person und als Gottes Geschöpf beschreiben?
2. Haben Sie sich abgekämpft, um Gott zu zeigen, dass Sie seine Liebe verdient haben? Wie können Sie diese Last loslassen und in der Tatsache ruhen, dass Gott Sie erwählt hat und das niemals rückgängig machen wird?
3. Wir alle sehnen uns danach, jemand zu sein. Inwiefern ist Gottes Geschenk der Gnade die Antwort auf dieses tiefe Verlangen in uns?
4. Was ist der Unterschied zwischen einer Adoption und der Geburt eines leiblichen Kindes? Warum ist es von Bedeutung, dass Gott sagt, er habe uns adoptiert?
5. Denken Sie darüber nach, wann Sie sich einmal als Teil von Gottes Familie geliebt und angenommen gefühlt

haben. Wie können Sie dieses Erlebnis nutzen, um anderen zu zeigen, dass sie geliebt und angenommen sind?
6. Gibt es jemanden in Ihrem Umfeld, der die Liebe des himmlischen Vaters braucht? Wie können Sie ihr oder ihm diese große Liebe zeigen?
7. Bitten Sie Gott jeden Tag um seinen Segen? Wie können Sie diese Bitte in Ihre tägliche Zeit mit Ihrem himmlischen Vater aufnehmen?
8. Der nachfolgende Abschnitt ist für Sie ganz persönlich gedacht. Setzen Sie Ihren Namen in die Lücken, und lesen Sie ihn dann, als würde Ihr himmlischer Vater direkt zu Ihnen – und nur zu Ihnen – sprechen. Denken Sie über die Bedeutung dieser Aussage nach:

„_____, ich möchte, dass du in meinem Reich lebst. Ich habe deine Übertretungen weggewischt, _____, wie die Wolken nach dem Regen und deine Sünden wie den Morgennebel. _____, ich habe dich freigekauft. Der Handel ist abgeschlossen, die Sache besiegelt. Ich, Gott, habe meine Wahl getroffen. Ich habe dich, _____, erwählt, damit du bis in alle Ewigkeit Teil meiner Familie bist."

Gebet

Himmlischer Vater, danke, dass du mich adoptiert hast! Danke, dass du mich bis in alle Ewigkeit zu einem Teil deiner Familie gemacht und in dein ewiges Zuhause aufgenommen hast. Ohne dich war ich ohne Hoffnung und Hilfe. Ohne dich war ich verloren. Aber weil du mein Vater bist, bin ich gefunden, gerettet und geliebt und mir wurde vergeben. Ich bin dein Kind, weil du mein Vater sein willst. Ich lobe dich von Herzen! Amen.

Von Gnade bestimmt leben

Machen Sie den Satz „Ich bin ein Kind Gottes" zu Ihrem Lebensmotto. Schreiben Sie ihn auf eine Karte, und hängen Sie diese an eine Stelle, wo Sie sie jeden Tag sehen. Wenn Sie an Ihrem Wert zweifeln, dann erinnern Sie sich daran, was Sie in Gottes Augen wert sind. Wenn Sie im Gegenzug sehen, dass jemand leidet, sollten Sie mutig Gottes Liebe weitergeben. Verlassen Sie sich auf Ihren Glauben, und seien Sie voller Freude und Zuversicht.

Elf: Der Himmel ist uns sicher

Ihnen gebe ich das ewige Leben, und sie werden niemals umkommen. Niemand kann sie aus meiner Hand reißen.
Johannes 10,28

Kurz zusammengefasst

Wer wirklich umkehrt, ist für immer errettet. Unsere Aufgabe ist es, darauf zu vertrauen, dass Gott seine Kinder auch nach Hause bringen kann.

Was die Bibel dazu sagt

1. Was muss man nach Aussage von Johannes 5,24 „tun", um errettet zu werden?
2. Lesen Sie Judas 1 und 1. Petrus 1,3–5. Was verraten uns diese Bibelstellen über Gottes Entschluss und Verlangen, uns zu retten?
3. Lesen Sie 1. Mose 39,2–9 und Titus 2,11–12. Was bewirkt Gottes Gnade in seinen Nachfolgern?
4. Was will Gott uns über unsere Errettung sagen? (Lesen Sie dazu 1. Johannes 5,13.)
5. Paulus erinnert in Titus 3,7 daran, dass uns das ewige Leben erwartet, weil Gott aktiv wurde, und nicht, weil wir etwas Gutes getan hätten: „So sind wir allein durch seine unverdiente Güte von aller Schuld befreit und warten voller Hoffnung auf das ewige Leben, das wir als seine Kinder erben werden." Inwiefern tröstet Sie dieser Vers, wenn Sie daran zweifeln, wo Sie in der Ewigkeit sein werden?

Und was ist mit Ihnen?

1. Der Autor beschreibt das Lied der Gnade, das Gott seinen Kindern ins Herz legt, als „ein Lied von Hoffnung und Leben". Was können Sie tun, damit Sie dieses Lied wieder singen können, wenn es in Ihrem Herzen nur noch schwach erklingt?
2. Was verlieren wir, wenn wir uns unserer Errettung nicht mehr sicher sind?
3. Als Jesus starb, flohen seine Jünger und Nachfolger wie Schafe, die keinen Hirten haben. Warum? Was lernen wir aus dem Leben dieser Männer und Frauen über Gott?
4. Denken Sie an den Tag, an dem Sie Jesus als Ihren Retter angenommen haben. Wer war dabei? Bei welchen besonderen Erinnerungen fängt Ihr Herz an zu singen?
5. Wie sicher sind Sie sich auf einer Skala von eins bis zehn, in den Himmel zu kommen? Wenn Sie nicht mit „zehn" antworten: Was erschüttert Ihre Gewissheit? Worüber machen Sie sich Sorgen?
6. Der Autor erzählt die Geschichte von Regina und Barbara Leininger, die als Kinder verschleppt wurden. Nachdem sie jahrelang getrennt waren, erkannte Regina ihre Mutter und Schwester nicht mehr, aber sie erinnerte sich an das Lied, das diese ihr immer vorgesungen hatten. Inspiriert Sie das, einem Kind Gottes, das Sie kennen und das sich von Gott abgewandt hat, Gottes Lied der Gnade vorzusingen? Auf welche Weise könnten Sie das tun?
7. Wie wirkt sich die Gewissheit, dass Sie in den Himmel kommen, in Ihrem täglichen Leben, in dem, was Sie sagen oder tun, oder in Ihren Entscheidungen aus?
8. Wie würden Sie Ihre Hoffnung auf die Ewigkeit einem nicht gläubigen Menschen erklären?

Gebet

Liebster Jesus, du hast mich nicht vergessen, als ich dich vergessen hatte. Danke, dass du dein Lied der Gnade immer wieder in mein Leben hineingesungen hast. Schenke mir Weisheit, damit ich in allen Lebenslagen erkennen kann, dass du bei mir bist und mir helfen willst. Amen.

Von Gnade bestimmt leben

Gibt es jemanden in Ihrem Leben, der sich von Gott entfernt hat? Wie werden Sie Gottes Lied der Gnade in sein oder ihr Leben hineinsingen? Überlegen Sie sich drei konkrete Dinge, und schreiben Sie sie hier auf.

Schlusswort: Wo Gnade einzieht

Lasst euch von Gott durch Veränderung eurer Denkweise in neue Menschen verwandeln. Dann werdet ihr wissen, was Gott von euch will: Es ist das, was gut ist und ihn freut und seinem Willen vollkommen entspricht.
Römer 12,2 (NLB)

Kurz zusammengefasst

Gnade. Lassen Sie sie zu, lassen sie *ihn* so tief in die Risse Ihres verkrusteten Lebens eindringen, dass er, dass sie alles aufweicht. Und lassen Sie sie, lassen Sie ihn dann durch freundliche Worte und Großzügigkeit an die Oberfläche dringen wie ein Brunnen in der Wüste. Gott wird Sie verändern. Sie sind das Siegeszeichen seiner Güte, Teilnehmer an seiner Mission. Natürlich sind Sie nicht vollkommen, aber Sie sind der Vollkommenheit näher als je zuvor. Sie sind beständig stärker, immer besser und ganz sicher näher dran.

Was die Bibel dazu sagt

1. Lesen Sie Römer 3,21–26 in der Übersetzung der „Hoffnung für alle"-Bibel. Machen Sie diese Verse zu Ihrem persönlichen Glaubensbekenntnis. Was bedeuten die folgenden Schlüsselwörter für Sie persönlich?
   - Gerechtigkeit
   - freisprechen
   - Kreuz
   - Sühne
   - Glaube
2. „Wer mit Christus lebt, wird ein neuer Mensch. Er ist nicht mehr derselbe, denn sein altes Leben ist vorbei.

Ein neues Leben hat begonnen!" (2. Korinther 5,17). Welche Rolle spielt die Gnade dabei, dass das geschehen kann?
3. Paulus fragt: „Was also könnte uns von Christus und seiner Liebe trennen?" (Römer 8,35). Gehen Sie die Liste der Dinge in diesem Vers und in den Versen 38–39 durch. Sind darin auch die Dinge aufgeführt, die Ihnen Sorgen bereiten?
4. Wie würden Sie die Aussage „wir triumphieren über alles" (Römer 8,37) vor dem Hintergrund dessen, was Lucado über Gnade geschrieben hat, erklären?
5. Lesen Sie Römer 5,1–11. Worauf hoffen wir? Was meint Paulus hier, wenn er von „teilhaben" spricht (Vers 2)?

Und was ist mit Ihnen?

1. Denken Sie über Personen in der Bibel nach, die in Jesu Nähe lebten. Zeigen ihre Geschichten, dass ihr Leben von Gnade bestimmt war? Bei wem war das so, bei wem nicht?
2. Sie haben sich jetzt zwölf Wochen lang mit dem Thema „Gnade" beschäftigt. Welche neuen Einsichten haben Sie gewonnen? Haben Sie das Gefühl, Ihr Leben hat sich verändert und es wird mehr von Gnade bestimmt?
3. Inwiefern hat ein tieferes Verständnis von Gottes Gnade Ihren Umgang mit den Menschen in Ihrem Umfeld verändert? Mit Ihrer Familie? Ihren Nachbarn? Ihren Kollegen? Fremden?
4. Gibt es einen Bereich in Ihrem Leben, in dem Sie Gottes Gnade noch mehr vertrauen müssen? Warum fällt es Ihnen in diesem Bereich schwer, Gottes Gnade zu vertrauen?
5. Wie kann die Gnade ein kaputtes Leben heilen? Wie hat sie Ihr Leben geheilt?

6. Inwiefern hilft es uns in den dunkelsten Stunden unseres Lebens, wenn wir uns bewusst sind, dass Gott uns Gnade schenkt? Haben Sie das schon einmal im Leben eines anderen Menschen erfahren?
7. Erklären Sie den Zusammenhang zwischen Gottes Gnade und unserer Hoffnung auf die Ewigkeit.
8. Die nachfolgenden Fragen haben wir uns in der ersten Woche gestellt. Gehen Sie sie jetzt noch einmal durch, und vergleichen Sie Ihre jetzigen Antworten mit denen von damals. Was hat Gott in Ihrem Leben während dieser Zeit bewirkt?
   - Hat die Gnade Sie verändert?
   - Hat sie Sie geformt?
   - Hat sie Sie gestärkt?
   - Hat sie Sie ermutigt?
   - Hat sie Sie sanft gemacht?
   - Hat sie Sie am Schlafittchen gepackt und kräftig durchgeschüttelt?

Gebet

Himmlischer Vater, heiliger Gott, vielen Dank für das Geschenk deiner Gnade. Es vergeht kein Tag, an dem ich nicht *mehr* von deinem unendlichen Vorrat an Gnade brauche. Erinnere mich immer wieder an deine Güte, damit ich in der Fülle deiner Gnade lebe. Hilf mir, dass ich durch alles, was ich tue, jeden Tag eine Trophäe deiner Güte bin, damit auch andere dein unvergleichliches Geschenk der Gnade sehen und annehmen. Amen.

Von Gnade bestimmt leben

Leben Sie jetzt weiterhin in dem Bewusstsein, dass Gott Sie mit Gnade regelrecht überschüttet, aber nehmen Sie sich jeden Tag vor, den Menschen, denen Sie begegnen, ebenfalls gnädig zu sein – durch das, was Sie tun, was Sie sagen und wie Sie sich verhalten. Überlegen Sie sich jeden Tag, wie Sie dort, wo Sie gerade sind, dafür sorgen können, dass Menschen Gnade erleben.

Anmerkungen

Eins: Leben mit Gnade

[1] Johannes 14,20; Römer 8,10; Galater 2,20.
[2] Todd und Tara Storch, die Eltern von Taylor und Gründer der Stiftung *Taylor's Gift* (www.taylorsgift.org), erzählen in ihrem Buch *Taylor's Gift: A Courageous Story of Life, Loss, and Unexpected Blessings* (Taylors Geschenk – Eine mutige Geschichte über Leben, Verlust und unerwarteten Segen), das 2013 bei Revell Books erscheinen wird, gemeinsam mit Jennifer Schuchmann die Geschichte ihres Weges, auf dem sie Leben spenden, Gesundheit schenken und Familien wieder zusammenbringen.
[3] Bruce Demarest: *The Cross and Salvation: The Doctrine of Salvation.* Crossway Books, Wheaton Illinois 1997, S. 289.

Zwei: Der Gott, der sich herabbeugt

[1] Victor Hugo: *Die Elenden.* Aufbau Taschenbuch Verlag, Berlin 2002, S. 53.
[2] Ebd., S. 70.

Fünf: Nasse Füße

1. David Jeremiah: *Captured by Grace: No One Is Beyond the Reach of a Loving God*. Thomas Nelson, Nashville 2006, S. 9–10.
2. Dave Stone: „Ten Years Later: Love Prevails". Predigt gehalten am 11.09.2011 in der *Southeast Christian Church*, Louisville, Kenntucky.
3. Jeremiah: *Captured by Grace*, S. 11.
4. Robin Finn: „Pushing Past the Trauma to Forgiveness", in: *New York Times*, 28.10.2005.
5. Jonathan Lemire: „Victoria Ruvolo, Who Was Hit by Turkey Nearly 6 Years Ago, Forgives Teens for Terrible Prank", in: *New York Daily News*, 7.11.2010.
6. Ebd.
7. „Amish Forgiveness", in: *Halfway to Heaven*, 17. April 2010.

Sechs: Gnade vor dem Durchbruch

1. 2. Samuel 12,20. Siehe auch Daniel I. Block: *The New American Commentary*. Bd. 6: „Judges, Ruth". B&H Publishing, Nashville, TN 1999, S. 684.
2. „Rio de Janeiro's Garbage Workers Make Art-Project Out of Trash", in: *Street News Service*, 2.05.2011.

Sieben: Mit Gott ins Reine kommen

1. „Doctors Remove Knife from Man's Head After 4 Years", in: *AOL News*, 18.02.2011.

Acht: Stoßen Sie die Angst von ihrem Thron

[1] John Newton: „Amazing Grace". Dt.: Anton Schulte.
[2] Josiah Bull: *„But Now I See": The Life of John Newton*. Banner of Truth, Carlisle, PA 1998, S. 304, in David Jeremiah: *Captured by Grace: No One Is Beyond the Reach of a Loving God*. Thomas Nelson, Nashville 2006, S. 143.

Neun: Auf Wiedersehen, Geiz

[1] Michael Quintanilla: „Angel Gives Dying Father Wedding Moment", in: *San Antonio Express News*, 15.12.2010. Mit Genehmigung von Chrysalis Autry.
[2] Eugene Peterson: *Traveling Light: Modern meditations on St. Paul's Letter of Freedom*. Helmers and Howard, Colorado Springs, CO 1988, S. 91.

Zehn: Auserwählt

[1] Auszug aus „Orphan Train", von Lee Nailling, abgedruckt mit Erlaubnis von *Guidepost Books*, www.guidepost.org, 1991. Alle Rechte vorbehalten. Copyright: Guideposts, 1991. ShopGuideposts.com.

Elf: Der Himmel ist sicher

[1] Tracy Leininger Craven: *Alone, Yet Not Alone*. His Seasons, San Antonio, Texas 2001, S. 19.
[2] Ebd., S. 29–31, 42, 153–154, 176, 190–197.
[3] Judas ist ein Beispiel für jemanden, der errettet zu sein schien, es aber in Wirklichkeit nicht war. Drei Jahre

lang folgte er Jesus nach. Während die anderen Apostel wurden, wurde er zum Werkzeug Satans. Als Jesus sagte: „Ihr seid alle rein – außer einem" (Johannes 13,10), meinte er damit Judas, der den Glauben nur vortäuschte. Wenn wir ein Fehlverhalten, eine schlechte Angewohnheit einfach nicht ablegen, kann das ein Indiz dafür sein, dass unser Glaube auf wackligen Beinen steht.

Ein Geschenkbuch über die Kraft der Gnade.

Gnade ist ein himmlisches Geschenk. Mit großartigen Auswirkungen auf unser Leben im Hier und Jetzt. Denn Gott lädt uns ein: „Setz dich zu mir. Ich kann aus deinem Leben etwas ganz Wunderbares machen."
Und die großartige Nachricht: Wir müssen nicht erst in unserem Leben aufräumen, damit er uns willkommen heißt. Nein, er heißt uns willkommen und fängt dann an, bei uns aufzuräumen.

Dieses wunderschön gestaltete, durchgehend farbige Buch von Max Lucado bringt diese gute Nachricht einladend auf den Punkt.

 Max Lucado • Für dich nur das Beste
Gebunden • durchgehend farbig • 192 Seiten • ISBN 978-3-86591-744-7

Verlagsgruppe Random House FSC® N001967
Das für dieses Buch verwendete FSC®-zertifizierte Papier
Munken Premium Cream liefert Arctic Paper Munkedals AB, Schweden.

Die amerikanische Originalausgabe erschien im Verlag Thomas Nelson,
Nashville, Tennessee, unter dem Titel „Grace".
All rights reserved. This Licensed Work published under license.
© 2012 by Max Lucado
© 2014 der deutschen Ausgabe by Gerth Medien GmbH, Asslar,
in der Verlagsgruppe Random House GmbH, München
Aus dem Englischen von Elke Wiemer.

Wo nicht anders angegeben, wurden Bibelverse aus der Übersetzung
„Hoffnung für alle" zitiert; 1986, 1996, 2002 International Bible Society,
Brunnen Verlag, Basel und Gießen.

Weitere verwendete Bibelübersetzungen:
Revidierte Elberfelder Bibel. 1985, 1991, 2008 SCM R.Brockhaus
im SCM-Verlag GmbH & Co. KG, Witten. (ELB)
Neues Leben. Die Bibel. 2002 und 2006 SCM R.Brockhaus
im SCM-Verlag GmbH & Co. KG, Witten. (NL)
Neue Genfer Übersetzung – Neues Testament und Psalmen,
2011 Genfer Bibelgesellschaft. (NGÜ)
Schlachter Bibelübersetzung, 2000 Genfer Bibelgesellschaft. (SLT)
Einheitsübersetzung der Heiligen Schrift, 1980 Katholische Bibelanstalt,
Stuttgart. (EÜ)
Die VOLX-Bibel, 2005 Volxbibel-Verlag. 3. Aufl. 2006.
Willkommen daheim, Übertragung des Neuen Testaments
von Fred Ritzhaupt. 2009 Gerth Medien GmbH. (WD)

1. Auflage 2014
Bestell-Nr. 816761
ISBN 978-3-86591-761-4

Umschlaggestaltung: Daniel Eschner
Umschlagfotos: Shutterstock
Lektorat und Satz: Nicole Schol
Druck und Verarbeitung: GGP Media GmbH, Pößneck
Printed in Germany